朝歌晚唱

郁伟年 著

宁波出版社

图书在版编目（CIP）数据

朝歌晚唱 / 郁伟年著 . —宁波：宁波出版社，2017.8
（2020.10 重印）

ISBN 978-7-5526-3009-1

Ⅰ . ①朝… Ⅱ . ①郁… Ⅲ . ①随笔—作品集—中国—当代 Ⅳ . ① I267.1

中国版本图书馆 CIP 数据核字（2017）第 196107 号

朝歌晚唱
ZHAOGE WAN CHANG

著　　　者：郁伟年
封面题签：潘公恺
插　　画：陈亚非
责任编辑：俞静娴　沈建国
责任校对：朱璐艳　张爱妮
封面设计：王泽闻　黄甜甜
内文排版：原色太阳
出版发行：宁波出版社（宁波市甬江大道1号宁波书城8号楼6楼　315040）
网　　址：http : //www.nbcbs.com
印　　刷：宁波美达柯式印刷有限公司
开　　本：710mm × 1000mm 1/16
印　　张：15.5
字　　数：185 千
版　　次：2017 年 8 月第 1 版
印　　次：2020 年 10 月第 2 次印刷
标准书号：ISBN 978-7-5526-3009-1
定　　价：45.00 元

版权所有　侵权必究

序 言

也许是上了点年纪喜欢淘古,也许是积淀已久的乡愁需要排解,近来,那日趋沉寂的心海时时泛起旧日的涟漪,青少年时代的苦乐愁喜、玩乐生计,点滴纵横,像放电影一样在脑海掠过,清晰而温馨,苦涩又甜蜜。于是,回望化作文字,追忆形成画卷,朝歌晚唱,朝花夕拾,有了这本不登大雅之堂的乡野之作。

我的孩童时代和青少年时代,正值我们国家历史上最苦难、最动荡的时光。三年困难时期,民不聊生,"文化大革命"政治气氛凝重,加上生产力水平低下,自然灾害不断,老百姓有温饱之虞。每个人的心头都仿佛压着一块石头,压抑与迷茫;每天的劳作仿佛都是为了衣食,贫困而潦倒。忍耐面对无奈,汗水透着坚强,看着太阳东升西斜,春种夏长秋收冬藏,节律照常,衣裳穿上又脱下。

正月的汤圆依然那么甜,三月的和风依然那么暖,孩子们的世界依然是鱼虾鸟虫、瓜果蔬菜,泥炮仗、石子棋是他们的最爱。乡野的青春同样热情洋溢,一会儿飘荡在插秧的歌声里,一会儿流淌在宣传队二胡的琴弦上,一会儿又隐藏在树丛下你侬我侬的私语中。那吆五喝六的猜拳声，吹吹打打的迎亲声，便是乡村人的节日喜庆了。

那时的农村，虽然生产落后、生活贫困，但仍有许多东西让人忍不住频频追忆回望。古朴自然的风貌一如既往：石板路穿越隋唐，历经沧桑，依然人来人往；半路亭坍了一角，仍可遮风挡雨，歇歇放放；夜行的小船穿过石桥，木桨欸乃，碎了月亮，洒了满河的银光。安宁和谐的氛围下，邻里相互守望。出门从不上锁，有事尽力相帮，品鲜也不相忘，端上一碗，大家尝尝。循环生态的生产方式，孕育谷麦清香、果鲜蟹黄。干的是力气活，施的是农家肥，摘下来就可以吃，收上来就可以煮，吃不完就腊和腌。人黑瘦力壮，没有奢望，只求温饱；不想大厦高房，只求几间平房；不求成凤成凰，只盼子孙兴旺。这就是半个世纪前的农村，这就是50多年前的农民，这就是生我养我的地方。

"两岸猿声啼不住，轻舟已过万重山。"现在我们正昂首阔步走在现代化的征途上，人民正在追求更加美好的新生活。可是新生活是从过去走出来的，过去的许多优秀的东西，应当得到尊重和传承，子孙后代应当了解他们的父辈、祖父辈在那个年代的生产生活和喜怒哀乐，记住乡愁，懂得感恩，传承好中华民族世代不绝的脊梁精神，开创我们更加美好的未来。这也是写作本书的初衷和目的。

作者

2017年8月

目 录

001 | 序

第一辑　稼穑记劳

003 | 评底分　　　　　005 | 耕田
007 | 耘田　　　　　　009 | 收草子种
011 | "双抢"　　　　 013 | 台风
015 | 田头饭　　　　　018 | 队长
020 | 晒谷场　　　　　022 | 交公粮
024 | 拾稻穗　　　　　026 | 轧米厂
028 | 搭草蓬　　　　　031 | 烧焦泥
032 | 种油菜　　　　　035 | 试验田
037 | 撑便船　　　　　039 | 放羊
042 | 看牛　　　　　　045 | 茭白
047 | 孵小鸡　　　　　050 | 养鸭子

第二辑　四季记趣

055	捉泥鳅	057	钓鱼
059	抲鱼	061	虫趣
065	拾田螺	067	钓黄鳝
069	摸蛳螺	071	抲田鸡
073	山珍	081	钓蟹
083	养蚕	085	拾舍
087	红刺根	090	童乐
095	放鹞子	097	发大水
099	下雪天		

第三辑　时代记历

103	批斗会	106	"破四旧"
108	宣传队	110	桥头
113	忆苦饭	117	平坟头
119	斫柴	121	救火
123	赤脚医生	125	做水库
129	土郎中	131	代销店
133	理发店	135	货郎担
137	菜船	139	卖泥螺

141	补碗补镬	143	掏河
146	摆渡	148	看电影
150	小电影	152	自行车
154	饭桌	156	偷吃
159	捕鼠	161	家狗
163	梦		

第四辑　旧物记情

167	火缸	170	冷饭箸箕
172	米缸	174	七石缸
176	金丝凉帽	178	做布鞋
181	夏布蚊帐	182	煤油灯
184	煤球炉	186	棚车
188	拖鸡豹	190	做棉袄
193	票	195	六六粉

第五辑　风俗记实

199	上坟	201	立夏蛋
203	端午节	205	做年糕
208	糯米粉	210	杀猪
212	掸尘	214	喝酒

| 217 | 搭老酒
| 222 | 苋菜股
| 226 | 嫁囡
| 231 | 造房子
| 235 | 肚仙

| 220 | 嗑瓜子
| 224 | 腌咸齑
| 228 | 探亲
| 233 | 做产
| 237 | 念经

| 239 | **后　记**

第一辑

稼穑记劳

评底分

人民公社时期,生产队社员参加集体劳动,实行的是工分制,做一天记一天的工分,年终时根据队里的收益情况按工分总数进行分配,发放现金。社员平时的生活所需品如稻谷、猪肉、牛肉、鱼、土豆、番薯、芋艿等,基本上是实物预分配,年底按计划价折算预分配的实物,在决算时扣除。

生产队社员众多,有男劳动力、女劳动力,正劳动力、半劳动力,如何公平合理地计算每一个人的劳动价值,需要有一种衡量的尺度,于是各公社普遍实行了底分制度。底分制度相当于现在公务员的级别工资制,一般分成10级,10分为最高,叫全劳动力,应该十八般农活都会干,是男性劳力的最高级别了。女劳动力最高为7—8分,因为一些气力活、技术活,如挑几百斤的谷担、耕地、耙田、摇船等,女社员干不了,所以底分相应就打了折扣。

评底分实行的是民主集中制,一年评一次。年底年初农闲时,由生产队统一部署,各组社员开会对要求底分晋级的劳力进行民主评议。底分能否晋级主要看这个人上一年的劳动态度如何,掌握了几门农活,干活的质量如何等。一般初中毕业刚参加农业生产的,底分在5分左右,一年后可升至6—7分,二十岁左右的男孩子可评到9—9.5分,到二十二岁,如果耕耙、撑船、孵秧子都会做了,而且能挑得起150斤以上的重担子了,就可以评为全劳动力了。女社员底分的起点相对较低,我们生产队的起档分是2.5分,最高能到7分。

各生产组评定底分后,将方案提交队委会讨论决定。队委会由生产队长、副队长、会计和各组组长组成,主要是搞平衡,避免出现这组评得松、那组评得紧的情况,以显示公平。队委会决定是最高权威,新一年就按新的底分标准记工分了。

当然,事情并不像我说的这样简单。由于涉及社员的切身利益,评底分时往往会争得面红耳赤,冲动的甚至会动手打起来。如果家族势力大、兄弟姐妹多,评底分时往往会占一些便宜。比较吃亏的是戥社户,子女参加生产队劳动,父母亲在外工作,生产队里没人照应,底分一般都被压得比较低。

总的来讲,生产队评底分的过程还是民主和公平的,绝大多数的社员都能够接受,这在一定程度上维持了当时"吃大锅饭"体制下的农业生产秩序。

耕 田

经过漫长的冬季,到了春分前后,莺飞草长,一年的农事活动就要开始了。田畈上,作为绿肥的紫云英翠得滴水,蔓枝上,花蕾已经悄然成形,到了欲放的时候了;耕牛开始走出牛栏,甩着尾巴悠闲地享用路边沟旁肥美的青草。农民们更坐不住了,修补农具,整理仓库,准备肥料。有技术的,在队长的指挥下,开始翻晒谷种、浸种、孵芽,春耕生产拉开了序幕。

春耕春耕,主要是耕。耕田是技术活,动力是耕牛。把耕牛牵到田头,套上牛轭,牛轭的两边各有一条麻绳,拖着牛屁股后面的犁。耕田的农民头戴凉帽,腰上系着一只小竹笼,卷起裤管,一手持犁把,一手牵牛绳,并握一根竹梢。随着"吁"的一声吆喝,牛缓缓起步,犁头深入土中,泥土像波浪一样翻滚起来。牛摇头摆尾,一边拖着犁,一边抓住时机低头吃一口田里的紫云英;耕田的也一样,一边"吁吁"地催促牛,不时挥挥竹梢,逼迫牛好好干活,一边眼睛盯着翻起来的泥土,看到有泥鳅、黄鳝之类的,马上捡起来放入腰后的竹笼里。

一天下来,一头牛要耕五至六亩田,一个春耕季节每头耕牛起码要耕五十至六十亩田,累得够呛。农民们把耕牛当作宝贝,所以,劳作一天后,看牛的要把牛牵到河里,让它洗澡放松,然后喂草喂料,牵回牛栏让它好好休息。

　　一块田耕完以后,要放水进来,浸泡一周左右,目的是软化土壤,沤烂绿肥。接着便是平整土地,用钉耙把高处的土块拉向低处,再分别用滚耙和平耙把整块田耙平,一块充满肥力、平平整整的水田就耕好,等待插秧了!

耘田

做农民时最脏最不愿干的活就是耘田。早晚稻插种返青后到封行前,一般要各耘三遍田。耘田就是对水稻进行中耕,增加水田的通透性,使表土和水面的肥力渗透下去,促进水稻根系吸收养分,加快发育,同时清除杂草,减少草害。

由于田里灌着水,秧苗又刚刚扎根返青,耘田不能用任何工具,只能用双手进行。社员们穿着短裤或把长裤卷到大腿根,走到田横头,跳进田里,每人以六株稻为单位,齐齐跪下去,双膝陷入烂泥,双手不停地翻动泥土,每寸土都要摸到,看到野草要把它拔起,再深埋进土壤里。就这样,一边双膝慢慢向前移动,一边双手耕耘,直到另一边田横头,才能站起身来。这时不仅两腿上都是黑乎乎的泥,而且裤子上、衣服上也是星星点点的泥水。耘田最难耘的是田塍边的那一垛。田塍边杂草多,小虫多,人家已经耘到头了,你可能还只耘了一半。所以大家都想避开,多数时候,队长、组长、上年纪的社员会去耘这一垛。

耘田时最可怕的是蚂蟥。那时水田里不大用化肥、农药,蚂蟥繁殖特别快,人们下田一不小心，就会被蚂蟥叮上，而且叮咬吸血时不痛不痒，毫无知觉，直到蚂蟥吸饱滚落，看到自己腿上流血了才发觉被蚂蟥叮过了。跪着耘田被蚂蟥叮十分正常，可恶的是，有时它不声不响钻进裤裆里，叮在人的要害部位，那是既尴尬又痛苦，如果能及时发现，就会马上起身跑到一个众人看不见的地方，撩起裤管，拼命地把这条蚂蟥扯下来。这时就要泄泄愤了。拔一根灯芯草，对准蚂蟥的一头，戳进去，让它内脏翻外，扔在路边，那条蚂蟥也就丧了命。

耘田收工后，我们都会迫不及待地跳进河里，让全身浸泡在冷冷的河水中，洗涤浑身的污泥，被蚂蟥叮过处皮肤的瘙痒和两腿间被稻叶划破的疼痛顿时能减轻许多。

现在水稻种植面积大幅度减少，又改种了单季稻，再加上除草剂、农药、化肥已普遍使用，农民的劳动强度大大减轻，再也用不着耘田了。

收草子种

六月中旬以后,春耕生产已经结束,原来绿油油的绿肥田变成了青翠翠的早稻田。留种而没有翻耕的几畈紫云英(俗称草子)已经泛黄结籽,可以收获了。

一个晴天的上午,露水干了以后,社员们来到田头开始作业。在田的中间清理出一大块空场地,铺上竹垫,一拨人从四面八方搬运来草子,一拨人用木棍拼命敲打,打落的草籽便留在了竹垫上。打完一批换一批,积累到一定的数量后,再用筛子过滤,去掉杂质,装进箩筐。一箩筐的草籽起码有两三百斤,一担就有五六百斤了,一个人是挑不动的,只能两个人抬,在晒谷场晾晒几天后再放入仓库,留待冬季时播种。

由于其他地都灌了水,种了水稻,草子种田成了那个时候唯一干燥的地方,许多两栖动物、爬行动物,如青蛙、蛤蟆、蛇等都集中在了那里。收草子种时经常会看到青蛙跳出来了,蛇游过来了,不时会听到姑娘们手或脚碰到冷飕飕的活体后发出的惊叫声。有一个生产队收草子种时,还因为一条蛇而引发过一件不幸的事情。

那天生产队组织收草子种,早上出工时有点凉,有些女社员还穿着外衣,劳动一会儿后身子发热了，有个姑娘便把外衣脱了，放在箩筐沿上，继续干活去了。收工时，她穿上衣服，手往衣兜里一伸，传来的是一种冰冷的感觉，里面还有东西在微微蠕动，掏出来一看，原来是一条卷成一团的火赤链蛇，一下子就被吓昏了，倒在地上，不省人事。众人见此，急忙上前抢救，人是醒过来了，但眼神变得直勾勾的，说话也不正常了，是过度惊吓导致神经错乱了。蛇怎么会游到小小的衣兜里呢？原来是有人恶作剧，捉了蛇后故意放进去的。那个姑娘家庭成分不好，父母亲只能忍气吞声，无法追究，但我想那个做坏事的人，心中一定十分惭愧吧。看着自己女儿变成了这个样子，父母十分揪心，领着她去宁波、上海求医，花钱不说，可把全家老小累苦了。好在老天有眼，几年后，在家人的精心调养下，那个姑娘总算恢复了正常。可见开玩笑要有分寸，过分了就会伤人。

　　收了草子种以后，这几畈田马上灌进了水，进行翻耕，作为连作晚稻的秧田。家庭承包经营后，农民基本不种绿肥了，现在春天到农村，田野上几乎看不到紫云英了，偶尔看到一小块田里摇曳着紫白相间的紫云英花，脑海里自然会出现当农民时收草子种的场景，感到十分亲切。

"双抢"

江南地区土地利用率高,一块土地一年要种三季作物。以水田为例,春种早稻,夏种晚稻,冬种大小麦或油菜。改革开放后,农村的耕作制度发生了很大的变化,渐渐地从三季作物变成了两季,现在越来越多地只种一季了。当然随着品种的改良,现在单季稻的产量已经相当于三十年以前两季稻的产量了。

夏天,一边收割早稻,一边种植晚稻,叫夏收夏种,简称"双夏"。为了抢季节,体现社员群众的革命干劲,公社把夏收夏种改称为"抢收抢种",简称"双抢"。

"双抢"一般从7月20日左右开始到8月10日左右结束,是一年中农活最重、农民最苦的时候。农活包括早稻环节的收割、脱粒、运输、晒谷、晒草、储藏、交公粮,以及晚稻环节的耕耙、拔秧、插种、灌溉、施肥等。这二十天又是三伏时节,社员们顶烈日冒酷暑,没日没夜地干,一个"双抢"下来,人人都又黑又瘦,一些喜欢赤膊干的年轻人,背上都晒脱了皮,人比非洲的黑人还要黑。

我参加农业生产后,实打实地干过四次"双抢"。第一年我的底分只有5分,只能与妇女劳力一起,割稻、拔秧、插秧,还不能去打稻脱粒、挑箩头及从事耕耙等作业。割稻的工具是沙尖，柄用木头做成，主体部分像北方农民用的镰刀，有一定的弯曲度，刀刃上是细细的锯齿。

割稻时，一手握沙尖，一手抓稻秆，一行六至八株地割。为了加快进度，我们多数时候是两行两行割。每割下一行就放在身后的边上，大致要放八把组成一堆，稻堆要放得整齐，不能乱也不能散放，以方便脱粒。一直觉得妇女同志腰劲好，她们可以割好长时间不立起身伸伸腰。而我呢，割上十至十五米腰就酸了，必须站立起来，待上几分钟再割，如此反复。

种晚稻更是又脏又累。插秧前，先要用一根预先做好的竹竿量好尺寸，我们叫作埭头棒，作用是控制插秧的密度。然后便是按埭头棒的尺寸拉上种田绳，以保证栽种时能保持行间的直线平行，做好这些准备后就可以插种了。这时男男女女都跳进田畈里，拆开原先已抛在田里的秧窠，抽出一把秧苗拿在左手中，右手顺势扒下一撮约六至八棵的秧苗直接插进泥土里。一行共插六株，两腿之间两株，左右腿外又分别两株，所以宁波农村又把种田叫"摸六株"。

种了一行后，再从左到右重新开始，动作快的人插的时候先从左到右，再从右到左，两腿向后移动的速度绝快。一块田里十几个人同时开始插种，十分钟以后距离就拉开了，种得快的人遥遥领先，一条80到100米长的地垄，半小时就插完了，像我们动作慢的人大概要四十五分钟左右。先插完的人可以在田埂上休息片刻，也有人插完后马上下去帮速度慢的人接上一段。就这样一垄一垄地插，直到把全队一百多亩田全部插完。转瞬间，原来黄灿灿的早稻田，变成了绿油油的晚稻田，这时"双抢"也就基本结束了。到了立秋以后，农业生产也就转入日常的田间管理了。

台风

影响宁波的台风，基本上集中在7至9月份。这几个月，是一年中天气最热、最旱，又是农事最繁忙的时候。台风不仅带来风，也带来雨，给酷暑中的人们带来阵阵清凉，也给水库、河道、农田补充了大量的水分，有效缓解了旱情。可台风造成的破坏也很严重，尤其是在宁波登陆的台风，经常冲毁海堤，吹倒房屋，甚至引起山洪暴发，造成生命财产的重大损失。所以农民们对台风是又爱又恨，喜欢它带来的风和适量的雨，又怕它横行肆虐造成灾害。最好台风是在福建、温州登陆，我们这里受外围影响，吹走副热带高压下的高温天气，又会下几场透雨，那是九利一害，上上大吉了。

七月中下旬的台风对夏收夏种有很大影响。台风过后可能引起早稻倒伏，影响收成。雨势大，生产队的仓库可能进水，危及堆放在里面的稻谷。台风来临之前，公社会派干部下来，检查防台措施，督促生产队抢收早稻，减少损失。有一年的七月下旬，我们正在收割早稻，上午还是万里无云，烈日当空，傍晚时分，却风起云涌，倾盆大雨劈头而下。这时一块田里的稻子已经全部割倒，几个全劳力正使劲踏着打稻机脱粒，但要把已经割倒的稻子全部打完，起码还需两个小时,可不巧台风来了,雨越下越大,雨水打在头上,让人眼都睁不开。大家心里很纠结,既想收工避雨,又怕雨量太大,冲走稻蓬,造成损失,最后还是下定决心继续干。大家加快节奏,蹚着大水,来回奔跑,一小时内解决了问题,可全身上下全部是泥浆水,成了泥猴子。

　　台风天也是孩子们的快乐时光。一见下大雨,孩子们便急忙把家里的盆盆罐罐都拿出来,放在屋檐下盛天落水。然后赤膊站在天井里,任雨水浇湿全身,享受天然的淋浴。这还不够,有些还会端来已经被雨水灌满的脸盆,将水一盆盆往头上倒,玩得不亦乐乎。

　　台风过程是短暂的,两三天后,风停雨散,又是热浪滚滚,漫长的盛夏、艰苦的劳动还等着我们呢。

田头饭

夏收夏种是农民的鬼门关,不仅要起早贪黑,体力消耗极大,而且还要忍受烈日曝晒,蚂蟥、蚊子叮咬之苦,真是"粒粒皆辛苦"啊。

那时,生产队吃"大锅饭",出工"大呼隆",工效低,但劳动时间长,从早上两三点钟到晚上七八点钟,生活仍然做不完。凌晨正是人们睡得最死的时候,只听见队长"嚯——"的哨子声,待我们揉着惺忪的双眼起床,母亲已经为我们烧好了泡饭。匆匆扒上几口泡饭,门外已经人声嘈杂。戴上破草帽,拿起小凳子,赤着脚,随着出工的队伍,我们直奔秧田拔早秧,以备白天插秧。

经过四五个小时的劳动,肚子早就饿了,就盼着有人送吃的东西来。大约早上七八点钟,机耕路上陆陆续续有人来送饭,我们叫"担饭"。担饭的人要么是老人,要么是小孩,一般用一条小扁担,两头两只竹篮子,分别装着饭、菜和碗筷,一只手还拎着一个茶缸。到了田头,担饭人选树荫下或山背晒不到太阳的地方,招呼自己的家人上来吃饭。秧田里的人洗洗手脚,起身上田,父子兄弟,姑嫂妯娌,围坐在一起,开始吃饭。

比较各家的饭菜,饭是一律的籼米干饭,满满的一锅,菜也是大同小异,以咸为主，荤的是咸鳓鱼、咸肉炖蛋，素的是萝卜干、苋菜管、臭冬瓜之类，基本上没有新鲜蔬菜。那时劳动强度大，肚子里又没有油水，那些菜又是咸的，特别容易下饭，所以胃口特别好，男人们都能吃下满满的三大碗。然后咕咚咕咚地喝半壶冷开水，肚子一下子就鼓了起来。

吃完饭还可以休息片刻，这时想的就是睡。于是拖过一节稻草做枕头，四脚朝天躺在还有露水的草地上，眼睛盯着碧蓝碧蓝的天空，看着几朵淡淡的白云飘过，脑子里什么也不想。尽管此时腰酸背痛，脚上还流着被蚂蟥叮出的血，但这是一天中最舒坦的时候。

这样的生活要过上二十天左右，直到"双夏"结束。这时啊，人人都筋疲力尽，面带菜色，真好像去了一趟鬼门关。

队　长

队长姓陈,在家排行老三,四十多岁的年纪,我们都叫他阿三叔。

阿三叔身材短小,但筋骨好,一百四五十斤的担子可以挑着走上两三里地,耕、耙、犁、撑船等一应农活样样都会,还会做土泥水。那时,社员们看人主要是看你农活拿不拿得起,能不能带头干活,不大在意你的组织领导能力、经营管理能力。因此,阿三叔理所当然被大家选为队长。

队长可不好当,首先要吃苦在前。割稻时,打稻机斗里的湿谷,每担都有近两百斤,要深一脚浅一脚地从烂泥田里挑出来。阿三叔是挑得最多的一个,看他矮矮的个子,担着的两个箩筐几乎已经着地,就这样一拖一拖的,一直把稻谷拖到机耕路上,真艰难啊。晚上收工,大家一呼隆走了,他却还在田头巡查,看看集体的农具是否遗忘了,看看灌水的田里,缺口是不是堵了。

队长有时要做"难人"。我们生产队有五六十个男女劳力,不可能同时干一种农活。分配农活时,有人感到自己的活重活脏不愿干,有人对其他一些人经常干技术活有妒忌。这时,阿三叔就会瞪起双眼,开始骂人,好在大家都知道他的脾气,提了意见,被骂了,活还是照干。

阿三叔家里很穷，当时已经有了三男两女，五个子女，除了大女儿外，其余的都还没成年，妻子体弱多病，从不出门，就靠他一人养家糊口。每年年终结算，他家是老倒挂户，吃过口粮，不仅分不到一分钱，还倒欠生产队的。好在社员们都比较体谅，并不追究。就这样，阿三叔一年到头流血流汗，拼死拼活，还是挣扎在贫困线上。

有一年"双夏"，大祸又降临在他身上。那天中午时分，他到晒场帮助妇女们扬谷。扬谷要用排风扇，把草绒和秕子吹去。他觉得排风扇的位置不好，想调整一下方向，但又没有切断电源。结果惨剧发生了，他的手掌碰到了扇面，那可是高速旋转的铁片呀！刹那间，他右手的拇指、食指、中指都没有了。当时我也在场，我们都扑过去，护着他，七手八脚地把他抬上手拉车，拉到公社卫生所。现场惨不忍睹，排风扇上血迹斑斑，地上散落着一丝丝的肉末。阿三叔的手医了好长时间才痊愈，但功能已丧失了一大半，队长是不能当了，人也老了不少，后来队里照顾他，让他干些稍微轻松的活。

阿三叔命苦，没享过一天福，听说他去世前信了耶稣，愿上帝保佑他。

晒谷场

晒谷场是承载丰收的地方,生产队的好多故事都发生在这儿。晒谷场一般建在东南面没有遮拦、阳光充足、靠近仓库和村庄的地方,面积一般有三至四亩。如果生产队耕地多,晒谷场的面积也要相应地大一些。晒谷场大多利用非耕地而建,我们生产队的晒谷场就是靠平整了乱坟堆造起来的。起初,晒谷场都是泥地,上面铺上竹垫才能翻晒谷物。后来分配了水泥,泥地逐渐变成水泥地了,但计划分配的水泥有限,有些生产队的晒谷场一半是水泥地,一半是泥地。

晒谷场一年四季都要用。春季翻晒大小麦、油菜籽,夏季翻晒早稻谷,秋冬翻晒晚稻谷。到了隆冬季节,社员们会利用晒谷场翻晒稻草及棉被之类的。生产队分口粮、分各种实物都会在晒谷场进行,晒谷场还是社员们出工的集散地,队长在这里分配一天的劳动任务,传达上级的会议精神,连小孩子玩耍也会选择在这里。

在晒谷场劳动的以半劳力为主,中老年妇女居多,也会配一两个全劳力,主要是挑谷担。夏收夏种时,一担担毛谷从田头挑过来,这些社员要负责把毛谷里的草绒扬净。扬草绒过去靠自然风,效率低下,后来买了排风扇,效率就提高了。一担150斤的毛谷扬去草绒后大概还剩120斤左右。然后就是翻晒,把湿谷挑到晒谷场的不同区域,倒在地上,用竹耙耙开来,摊成薄薄的一层,而且要均匀,在泥地晒场竹垫上的也是如此。为了使湿谷干得更快,一天里妇女们要经常用竹耙去翻一翻,等到傍晚时分,再把稻谷装在箩筐里,全劳力挑,妇女社员们抬,把稻谷全部运进仓库里。忙完这些,已经到了晚上七八点钟了,带着一身疲惫回家,还要烧水做饭,等待在田里干活的家人回来,才一起吃饭。

晒谷最怕的是雷阵雨。上午还晴好的天,到了下午两三点钟,忽然乌云遮天,风也起来了。这时晒谷场就紧张了,有人大声叫人来帮忙,有人手脚利索地赶紧把稻谷一堆堆垒起来,急急忙忙往箩筐里装。在家里的老头、老太和学生都来帮忙,大家手忙脚乱,拼命地将稻谷往仓库里搬。竹垫上晒的谷采取一半摊一半盖的办法,临时遮挡一下。大概一刻钟的时间,雨就下来了,好在大多数稻谷已经安全,大家一边擦汗,一边埋怨老天,都松了一口气。

晒谷场也是鸡、鸭、猪等家禽牲畜喜欢去的地方,因为那里的食物最多。所以晒谷场的妇女们不仅要负责晒谷,还要防着鸡鸭的"光顾"。一旦发现,她们会迅速跑过去,毫不留情地拿着竹竿追打,打死了也不用赔,因为你家的鸡鸭偷吃了集体的粮食,该打。

家庭联产承包后,晒谷场的功能渐渐弱化,不少晒谷场分给农民做了宅基地。晒谷场新建了不少新房子,看样子谷是不用晒了。

交公粮

新中国成立之初至20世纪80年代初，国家对粮食实行统购统销政策，农民生产的粮食除了自己的口粮和种子粮以外，几乎全部由国家按统一价格收购，农业税也是以粮折价，绝不允许生产队有一斤粮食自行流通。

向国家上缴农业税及统购粮，农民称之为"交公粮"。当时宁波农村普遍种植双季水稻，早稻一般在立夏前播种，七月下旬收割，以籼稻为主；晚稻在立秋左右插种完毕，十一月下旬开始收割，以粳谷为主。所以交公粮也分两次进行，第一次在盛夏的七月底八月初，早稻谷在晒谷场上让猛日头晒上两天，然后生产队队长组织男劳动力去交公粮。一般一个公社设一个粮站，路近的一担一担挑着去，路远的把谷子装上船运过去，到了粮站附近再装在箩筐里挑进去。两箩筐稻谷少的有120斤，多的达180—200斤，挑着这么重的担子走上三四里路，真是累得够呛，中途多数人要歇一歇，缓口气再走。

粮站设有验收员，对每一批稻谷的含杂含水情况进行验收，如果发现里面秕谷多，草绒多，他会要求你用粮站的风箱重新过一遍再过秤。验水分凭的是经验，验收员抓起一把谷，随机拣一粒放在嘴里，用牙一咬，一下断成两半，说明含水量合格,如果咬下去有种钝钝的感觉,说明含水量还比较高,就不合格,如此反复多次。他说过秤吧,社员们就放下心来。他说不行,还要晒一天,那就倒霉了,大家你看看我,我看看你,只敢怒不敢言。这时队长出场了,又是递烟又是赔笑脸说好话,无非是恳求验收员高抬贵手,收下我们的粮食。验收员是吃官饭的,并不买账,还说如果他不严把质量关是坑害国家。队长见不肯通融,便退一步说,这些稻谷我们也不准备再挑回去了,就借你们粮站的场地给我们再晒一朝太阳吧。好说歹说,验收员同意借场地了,于是队长留下两人照看,其他的就回去了。

晚稻收割后,还要交一次公粮,情景与交早稻时差不多,就不再赘述了。

交公粮,官方的说法是农民向国家缴纳农业税和完成国家粮食征购任务。税额和征购任务由上级政府和公社根据每个生产队的耕地面积、亩产水平及人口数量而定,一般几年定一次。繁重的征购任务束缚了农民的手脚,成为农业生产的实际指挥棒。为了完成国家任务,农业生产结构十分单一,就是以粮为纲。广大社员一年到头起早贪黑,就围绕粮食生产,盼望粮食丰收,那么在完成国家任务后就能有所积余,多分点口粮,填饱肚子。同时,不少生产队在学大寨运动中,积极挖掘土地潜力,平整坟头,填平河沟,旱地改水田,以期增加计划外的面积,多生产粮食。

在那个农业生产条件十分落后、农民生活十分贫困的年代,广大公社社员宁可自己勒紧裤腰带也要完成国家任务的精神,保证了我们国家粮食的基本供应,维持了社会的正常秩序。从这个角度讲,中国农民是最可爱最可敬的。

拾稻穗

早晚稻收割时，总有一些稻穗留在田里，造成浪费。这些零散的稻穗，有的是收割时不小心落下的，有的是稻秆中间断了，自然掉落。这些稻穗无法脱粒，但颗颗饱满，是好谷子。

早稻收割后马上要翻种晚稻，田里灌满了水，尽管有不少的稻穗散落，因时间关系，一般不大去拾。拾稻穗主要在晚稻收割之后，主力军是初中生和小学生。

"锄禾日当午，汗滴禾下土，谁知盘中餐，粒粒皆辛苦。"这首古诗是老师和家长们经常念给孩子们听的。耳濡目染，那时我们从小就有节约粮食的观念和习惯，而且当时上级也号召"颗粒归仓"，要求丰产丰收。所以，在家长和生产队的鼓励下，小朋友们拾稻穗的积极性都很高。

季节至霜降，秋高气爽。晚稻收割后，原先套播的紫云英（宁波人叫批花，一种绿肥作物，根部有根瘤菌，能吸收空气中的氮，对培肥土壤作用明显）已经长出了嫩嫩的绿叶，田野满目葱绿，稻田不湿不干，赤脚踏上去富有弹性，又有点凉意，酥酥痒痒的，比踩在地毯上还要舒服。我们一手提篮，一手不停地捡拾。稻穗真是不少,隔一两步就有一两株,每株都有二三十粒稻谷,一小时能拾三至五斤。拾了一篮,就应该回家了。但小孩子喜欢玩耍,正经活干完了,就开始玩。

绿肥田已经开了沟,沟里有水,时不时能见到泥鳅在游动,于是挽起裤管,蹲在水沟里,玩起了捉泥鳅。捉住了就扔进装稻穗的篮子里,不一会儿就捉了七八条,但浑身上下也沾满了泥。夕阳西下,凉意渐渐浓了起来,穿着单衣单裤赤着脚的我们,一路奔跑回家去了。

这样的拾稻穗,一个季节我们小孩子要干三四天,拾来的稻穗也不用上交生产队,拿回家喂鸡喂鸭,家长们都很开心。

轧米厂

一个生产大队一般都办有一家轧米厂,为社员提供粮食初加工服务。早稻和晚稻收割后,交了公粮,每个家庭都分到了口粮。但口粮是稻谷,不是大米,需要加工碾轧才能食用。

轧米厂的基本设备有两套,一套叫沙砻,里面是两片厚厚的圆盘状的砂轮,用于稻谷的第一道脱壳。米和谷壳初步分离,但有许多仍然是谷,主人家会将沙砻里出来的谷、米、糠混合物移到放在附近的风箱里扇一遍,把谷壳先分离出去,然后移至第二套机器旁等待。第二套机器叫龙头,里面有一只螺旋状的生铁滚筒。米谷混合物倒入后,随着滚筒的快速滚动,谷壳全部脱落并把糙米的最外面一层也剥离出来了。为了使米更白一点,米要在龙头里重复滚两三次,然后再次把米与糠的混合物移到风箱边。随着风叶的转动,玉白色的米粒滚滚而下,另一边米糠也渐渐地堆高,100斤的早稻谷大概可出米70斤,糠30斤,晚稻谷出米率略高一点。完成了所有工序以后,主人把米放入自己的箩筐,把糠倒入布袋,"嘎吱嘎吱"挑回家去了。

到大队轧米厂轧谷,基本上不收加工费,只收两三毛的电费成本,由米厂会计收下,并开给发票。设备都是大队购买的,轧米厂师傅和会计等人也是记工分的。

我们大队轧米厂就在我们家的门口,所以轧米很方便。兄弟俩抬100斤谷去,一个小时就全部搞定,变成了米,只是满头满身都沾满了米糠,灰头土脸的,掸也掸不干净。大队轧米厂后来又增添了一套设备——轧粉机,社员们需要加工黄豆粉、米粉就再也不用自己推石磨了。只是这台轧粉机噪音实在太大,"滋滋"响起来,戳心戳肝,只好远远避开。

轧米厂的老鬼叫阿火伯,年纪已经六十开外,独身,以厂为家,对工作十分负责,轧米操作都是他亲力亲为,平时对机器也爱护有加,就是有的时候脾气不大好,但从没推托过本职工作。阿火伯对小孩子特别亲,看到邻居的小孩到轧米厂玩,他总要抱一抱,逗上一逗,并关照这个不能碰,那个不能动,关爱之情溢于言表。

改革开放后,轧米厂渐渐被冷落,后来干脆卖给了个人,阿火伯也早已作古。现在轧米厂已经消失了,我不知道村里的农民们到哪里去轧米了。

搭草蓬

早晚稻收割脱粒后,剩下的还有稻草。早稻草因为时间一长会有点发红,又叫红稻草。稻草有多种用途,首要的是作为燃料,烧饭烧水,可以做草包、草鞋,做茅草房的顶盖,还可以卖到城里作为造纸原料。红稻草还是冬季耕牛的饲料。因此,农民对稻草都很珍惜。

生产队对稻草按工分和人口实行分配制。一块田收割完毕后,要对稻草按"结"计数,然后进行分配。由于早稻收割后要马上种植晚稻,放在田里的草要及时拖出来,分到草的农户在收工后,就会留在田里,深一脚浅一脚地把草拖到田塍上暂放。拖草是一项十分累人的活,早稻草又湿又重,水稻田泥土又滑又烂,而且我们拖时两只手各抓三四结草,算起来有七八十斤的重量,如果两三个人把一亩田的草全部拖完,每人至少要拖十几次,其劳动强度可想而知。

稻草拖到田塍上后,还要挑到山边、路边、河边空旷的地方去翻晒。晒草有一定的讲究,一结草要让它的下部散开来,在地面形成一个圆锥形,由于草的头部打着一个草结,晒开的草就像女孩子穿的长裙,大批的草晒在一起,远远望去就像一群亭亭玉立的少女在翩翩起舞,十分壮观。

三四天后草干了,家家户户开始收草,用草做绳。还有的将四五结草捆成一大结,二十结装成一担,挑回家附近的空地或晒谷场附近,开始搭草蓬。

搭草蓬有技术含量。选择一个比较干燥的地方,然后估计草的数量以确定草蓬应该搭多大。搭的时候不能凹进凸出,要像砌墙一样,线条垂直,表面平直,防止倒塌。草蓬的外形基本上有两种:一种是长方体或正方体,一种是圆柱体。不论哪种形态,上部一律是坡面尖顶,目的是防止雨水渗透,保持内部的干燥,社员们都喜欢把草蓬搭在一起,有时生产队集体的、各家各户的十几个草蓬比邻而建,煞是好看。

草蓬边、草蓬里发生有不少故事。老鼠喜欢在这里做窠,拉一结草出来,可能会蹿出一窝小老鼠;小孩子喜欢在草蓬边玩,顽皮的还会爬上草蓬顶往下跳,个别的甚至在旁边玩火,把整个草蓬点着了;为了避人耳目,小年轻会躲在草蓬边谈情说爱;冬天草蓬还能挡风避雨。一个草蓬一户人家一直要用到立夏之后,等到麦秆、油菜秆上来,可以作为柴禾了,稻草也基本烧完了。

烧焦泥

被火烧过的土叫焦泥,呈棕黑色。土粒经火灼烧,里面的微量元素得到释放,加上混杂着的草木灰,是很好的以磷钾肥为主要成分的有机肥。

烧焦泥一般在秋后进行。首先要削草泥,就是把田边路边山脚边的杂草皮一锄一锄地削起来,在太阳下曝晒几天,草皮干了以后,找一个干燥的地方堆烧。拿来一把容易燃烧的干草或树枝,点着火,慢慢地往火堆放草泥,堆成一个圆锥形,里面的火焰是看不到了,但土堆的四周及顶部不停地在冒烟,以后隔一两天加一次草泥,直到土堆周边的草泥全部用光。这种冒着烟的土堆,像一个个在蒸笼里的窝窝头,在霜降前后的山坡田边到处都是,到处都能闻到带着青草味道的泥土焦味。

那时正是番薯成熟的季节,我们会悄悄地溜到地里,扒开藤蔓和泥土,挖出几颗番薯,塞进焦泥堆里煨烤。一个小时后,番薯早已熟透,取出后往地上扔几下,抖落黏着的泥土,只见番薯外层焦扑扑的,一把掰开,薯肉金黄,浓浓的薯香扑鼻而来。我们也不管脏不脏,张口就吃,又甜又糯,真是好味道啊。

半个月后,土堆不冒烟了,里面的可燃物基本燃尽了,就等生产队冬种的时候施用了。施用之前,还要用筛子筛一下,把大石块及没有烧尽的草根筛除,然后一担担挑往田畈。

种油菜

冬种生产是全年农业生产的重要一环，而且有计划指标下达，生产队必须完成。冬种主要是种大麦与油菜。种植面积约占生产队耕地面积的40%，其余土地全部播种绿肥，不能冬荒。

种油菜在晚稻收割以后，土地要重新翻耕平整，留起沟坑整成畦，然后用"麦捣孔"打孔。横向并排打四至五个孔，在孔内放一株油菜苗，再在菜苗的根部盖上焦泥压实，浇上人粪，就算种好了。待油菜成活返青后，还要经过几次施肥、培土，特别是在越冬前，要在每一棵油菜边上用手一捧捧地施上牛粪、猪粪，既保暖又供肥。

春天来了，油菜芯长出了嫩嫩的菜薹，节节拔高，并不断分枝，分枝上长满了花蕾。那边大麦也在拔节，呼呼地往上蹿。到了清明前后，田野上那是炫目的美，一边是一望无际黄灿灿的油菜花，一边是青得滴水的麦穗儿，还有一边是紫白相间的紫云英花。一阵风吹过，金黄的油菜花像海浪一样翻动，麦穗儿似云彩一样舒展，紫云英花娉娉婷婷，摇首弄姿，招蜂引蝶，整个田野就是一幅色彩斑斓的水彩画，姹紫嫣红，美不胜收。现在好多人专程去江西、云南看油菜花，三十多年前，我们这儿田野里的花海景致绝对不会比人家差。可惜现在这样的景色已经看不到了。

立夏后，油菜籽已经饱满，但籽荚还是青绿色的，生产队开始组织社员拔菜秆，就是在菜籽八分成熟时，把整株油菜连根拔起，堆放在田头路边或其他空地上，让它后熟。一周以后，籽荚开始泛黄，如果天气晴朗，就可以脱籽了。社员们在现场铺上几张竹垫作为操作场所，然后便一捆捆地把油菜秆捧到竹垫上，用棍子敲，用手揉，籽荚好像有弹性一样，轻轻一碰就张开，里面的菜籽一下子全部蹦了出来。清理掉荚壳，剩下的全是菜籽了，装进箩筐挑到晒场翻晒一天，就可以卖给国家了。留下少量的菜籽运到榨油厂打油，再分给社员，作为社员家庭的生活用油。这些喷香的菜油我们可要吃上一年呢！

种油菜

春天来了
油菜苔长出了
嫩嫩的菜苔
节三嫩节
啼儿如往一年
一阵风吹过
金黄的油菜花
像海浪一样
翻动

丁酉年五月
耀东郢主
亚飞

试验田

参加农业生产以后,我对科学试验产生了兴趣。当时,我家隔壁的轧米厂订有一份《宁波大众》报,报上经常会有一些什么地方一只南瓜有上百斤重、什么地方一棵番薯产量有几十斤的报道。我看了以后也想自己搞搞试验,创出一个高产纪录来。

搞试验就要有计划有投入。我选择了一块背山朝阳、长期由我家种植的山坡地作为试验田,把番薯作为我的试验作物,理由是番薯容易栽培,种植和管理技术比较简单,成效可能比较明显。我知道在不改良品种的前提下,提高产量最有效的办法就是改进栽培技术,挖掘老品种的增产潜力。我想到的第一步就是夯实基础,于是找了一个空闲天,挑着土箕,到处找牛粪猪粪,找到一坨用铲子铲到土箕里,半天时间捡了一担有机肥。然后用锄头在那差不多三平方米的土地上,挖了个又大又深的坑,把那一担粪全部倒入,再盖上大约两尺厚的表土,把基肥施足了。接着,拣了一棵很茁壮的番薯苗,插种下去,浇上人粪便,让它快速扎根。一阵雷雨响过,番薯苗成活了,渐渐地在顶端长出了新芽,试验迈出了第一步。随着藤蔓的渐渐生长,我也起早落夜地观察,不时去松松土,除除草,确保它无草害无虫害茁壮成长。一个月以后,番薯藤爬满了畦面,比旁边按普通方法栽培种植的番薯茂盛了许多,我心里对种出大番薯的信心更足了。两个月以后,藤蔓已经"肆无忌惮",分枝的藤头像蛇一样到处蔓延。这时我担心营养过于旺盛,不利于生殖生长,于是每天都要去提一下藤蔓,让它的根脱离土壤,不让它吸收过多的营养。

就这么尽心地管理着,祈盼它在霜降后给我一个惊喜,却不料祸从天降。公社要在这块土地上建造一个腐殖质肥料厂,征用部分旱地建厂房,连带我的试验田也要毁了。那时也没有维权、做"钉子户"的意识,上面怎么说下面只能怎么干,施工队毫不留情地把我活生生的番薯苗给铲了,害得我眼泪汪汪,满满的希望就这样毁灭了。

至今,我对这件事还耿耿于怀。其实那个肥料厂也短命,大概一年以后,由于肥效不明显,生产队不喜欢,也关门大吉了,损失的是我们生产队,一大片好好的土地平白无故被毁了,可惜啊。

撑便船

过去,农业生产很少使用化肥,种田主要靠焦泥、河泥、人粪、猪牛粪等土杂肥,施肥后见效较慢,但持续时间长,对培肥土壤,改善土壤结构有很大好处,生产的农产品按现在的话说,基本上都是绿色安全食品。

土杂肥最主要的是人粪便。那时,农村家家户户都有一只粪缸。粪缸的三分之二埋在地下,上面搭一个架子,顶上盖有稻草,兼具厕所和储存的功能,行人遇到内急会在这里方便,家里马桶、便桶满了也会倒在粪缸里。生产队组织投肥时,各家各户都会把自己粪缸里的粪便挑往田头施肥,有人计数记分。

人粪便的另一个重要来源是政府分配。当时宁波市区产生的粪便不愁没有出路,近郊农村都抢着要。为了体现公平,政府对粪便实行计划分配,定期让农民进城运走,环卫处还可收取一定的费用。

我们生产队陆路到宁波市区的距离大约25公里,走水路要远一些,有35—40公里,撑船过去要走一个晚上。记得当时每两个月要我们去装一次。装粪便用的是水泥船,船两头中空,各有一个像窨井盖一样的铁盖子,是空气舱,中间是货舱,船尾装有一个橹桩,它用铸铁做成,形状极像男性生殖器,农民称之为"船卯子",橹柱用来搁置船橹,水泥船按容量分成3吨、4吨、5吨,一般生产队购置的是3吨船。

撑船是一项技术活,不少农民并不会撑船。船橹搁上橹桩后很容易掉下来,即使不掉下来也很容易使船头偏移方向,撞向河岸。撑便船更是苦差事。生产队长接到通知知道过几天要去宁波运粪便,便早早物色好两个劳力,通知他们开好证明,领取资金,准备好船橹、缸灶等物品。那天傍晚,太阳还没下山,他们便出发了。随着"吱嘎吱嘎"的摇橹声,船慢慢地离开埠头,渐渐远去,整个河道瞬间布满了密密的波纹。夜色笼罩,水泥船慢慢行驶在后姚江上,不时有白鲢跳起来,碰得巧,有一条跳进了船舱里,于是那晚便有了美味佳肴。

船到宁波西门口环卫处,天已大亮,办好手续,装上满满一船粪便,顾不得上岸歇歇,便又上路了。摇啊摇,到了傍晚时分,回到村里的河埠头,任务便算完成了。

第二天,全队的男劳动力挑着便桶担,把一船粪便运到大粪坑里,备作后用。

放羊

　　羊比较好养，温顺听话，只要有东西吃就不会闹事闯祸。我小时候，家里养了一头母羊。母羊的脖子上套着一只圈，圈上又牵出一条绳子。我每天的一项重要任务就是放羊。说放羊，也不是叫我一天到晚看着它，而是早上把它拉到山上，选择一处它喜欢吃的草丛，把绳子系在一根柴桩上，便离开了。虽然限制了它的自由，但至少不用担心它走丢或者跑去啃食人家的庄稼。羊呢，可以在绳的半径范围内吃草、吃树叶。待它慢慢长大，发育发情，领它到公羊处交配受孕，看着它肚子慢慢膨大、分娩，结果一下子生了四只小羊，让我们喜欢异常。小羊羔十分可爱，我们也精心呵护，看着它们争抢母奶，渐渐长大，会跑会跳，就像养了一群宠物一样，开心得不得了，侍候母羊也更加尽心了。

　　可是，意想不到的事情发生了，有一天傍晚，有两只小羊玩过了头，跳上了一户姓陈人家的屋顶，而且迟迟不肯下来。主人家看到以后，觉得很晦气，认为破了他家的风水，对他家后代有不利影响。他们找到我母亲，提出条件，要我们做一场佛事，请请菩萨，求得化解，我母亲没有办法，只能忍泪答应。

　　找人算了黄道吉日，定了时辰。头天母亲已经准备好了菜肴、香火和纸钱。

第二天一早，我们扛了一张八仙桌和三条长凳，恭恭敬敬地在陈姓人家门口放好，供上时令菜肴，点上香烛。母亲手持三炷香，首先向天朝拜，祈求佛祖菩萨保佑，原谅小羊们犯下的错误，让陈家避难消灾，逢凶化吉。然后，烧了纸钱，并吩咐我们子女也拜上三拜，共同为陈家祈祷。仪式大概进行了半个小时，隔壁邻居们都远远地看着，那时我大概十岁，心里充满了深深的屈辱感，心想那是牲畜犯的错，和你家的风水又有什么搭界呢？

　　家里的羊是我负责看护的，出了事情主要责任在我。母亲也没有过多的责备，只是把眼泪往肚里咽，可我知道母亲肯定比我们更难受。从此以后，我对放羊就更加在意了，不仅要管好母羊，也给小羊它们套上了项圈，不让它们乱跑乱跳了。

看牛

耕牛,对生产队和农民来说,都是不可或缺的。一个拥有一百五十亩耕地的生产队,起码要养三四头牛。耕牛一般分水牛和黄牛两种,水牛黑色,体毛稀疏,个别比较暴躁,天热或耕作后喜欢走进水塘或小河里打滚洗澡;黄牛通体深黄色,短短的角,不喜欢洗澡,性情温和,力气比水牛要小一些。

喂养耕牛是生产队的大事,一般由专人长期负责,看牛的有儿童也有半残劳力,每天早上牵出去放养,傍晚时分拉回牛栏。有些生产队看牛实行轮流制,一般由妇女劳力轮流负责,一天一轮。看牛对于社员来说是求之不得的农活,因为轻松自由,牛在山坡、田野自由自在地吃草,你可在远处或坐着或干些其他的,只要牛不糟蹋庄稼,不走远就行。但轮流看管也有坏处,就是有些人责任心不强,容易出问题。我们生产队就发生过这样的事。一头本来很强壮的水牛,一段时间以来,精神萎靡不振,干活没有力气,有时两只牛眼会可怜巴巴地看着你,好像向你求救一样,直到奄奄一息。大家都觉得很心疼,请兽医看了,也说不出生了什么毛病。队长只能忍痛决定:"趁还活着,宰了吧,吃牛肉。"杀了以后,挖开肚子,翻开胃,只见里面除了草以外,还有石头,像乒乓球大小的水蛭(我们叫牛蚂蟥)等不该吃的东西,致命的是一根长长的铁钉,穿过胃壁刺在心脏上。一头"年富力强"的耕牛就这样死了,生产队因此蒙受巨大损失,只好花钱重新买了一头。

冬天,牛的基本饲料是红稻草和菜籽饼,每天要安排人烧水,把菜籽饼化在开水里,放在一只大木桶里,让牛喝,以增加营养。开春耕地之前,国家有专门供应耕牛喝的黄酒,几个男社员掰开牛嘴,把整坛的黄酒倒入,据说能加快牛的血液循环,增强体力,为一年的劳作做好体能上的准备。

耕牛是活得最苦的动物,吃的是草,干的是最重的活,脚步稍微慢一点,主人的鞭子就抽过来了。平时被牛虻叮咬、皮肤损伤等更是数不胜数,不知吃了多少苦。老了,做不动了,还要被人宰杀吃肉,可怜呢。人类应当善待它们。

茭 白

茭白是一种禾本科植物,植株高大,叶片扁平,长披针形。由于感染了黑粉菌,导致茎部不断膨大,逐步形成了纺锤状的肉质茎,就是我们食用的茭白。某种意义上讲,茭白是由病菌侵入植株后形成的畸形体,但对人体没有毒害,而且富有营养,炒着做菜吃,味道鲜美。

当时,生产队都会在低洼田种上几亩茭白,收获时社员们可以分一点,但多数会被拿去市场销售,以增加收入。

九、十月份是茭白上市季节。下午两三点钟,队长会安排五六个劳力去掰茭白,茭白是带着叶子一起掰下来的,手上有了三四十个以后,把茭白叶拢起来一扭,打一个结,捆成一把放在田塍上。然后继续掰,直到收工,一次可以收上百斤的茭白。间隔四五天,小茭白长大了,又可以收一次。

掰下的这些茭白,晚上会浸在臭水沟里。农民的经验是,浸的水越是黑臭,第二天茭白就越是嫩白,吃了对身体有没有害处是不予考虑的。当然,自己吃的是不会浸在臭水沟里的。第二天凌晨,准备进城做买卖的社员,开始整理茭白,把茭白从臭水沟里拖出,放入河里洗净,去叶剥壳,露出白白胖胖的一截,七八个绑成一束，便可以挑到城里去卖了。

　　十月份一过，茭白便落市了，田里可能还会遗留下一些老茭白。小孩子们会下去寻找，其中有一些老茭白折断以后，里面基本已经变黑，我们叫灰茭白，其实是感染的黑粉菌大量繁殖，形成了黑粉菌孢子的结果。这些黑孢子第二年仍然会感染茭白的茎部生成新的茭白。有些小孩子嘴馋，会将找到的老茭白津津有味地吃起来，吃到灰茭白，就是满嘴的黑粉，连嘴唇也是黑不溜秋的，便忙不迭地吐出来，引得大家哈哈大笑。

孵小鸡

过去,农民家家户户养鸡,多的二十几只,少的也有十只左右。养的以母鸡为主,可以生蛋卖钱;公鸡也要养两三只,主要是用于过年时候祭祖请菩萨并作为春节期间的主菜,另一个作用是作为种鸡,为母鸡配种。配种的鸡一般每家养一只,鸡冠艳红高耸,羽毛彩色鲜艳,体型饱满丰腴,姿态高傲雄壮,黎明前会鸣叫报晓,白天到处找母鸡交配。其余的公鸡都被阉了,我们叫"结鸡",有专门结鸡的人进村入户开展服务。结过的鸡,长大后肉质细腻,口感较好。

家庭养鸡,小鸡是自然孵化的。首要条件是要有一只赖孵鸡,书面话叫"抱窝鸡"。发现母鸡在光线较暗的窝里,不下蛋,很少出来觅食和活动,接近它时,毛发倒竖,怒气冲冲,发出"咯咯"的声音,意味着这只母鸡赖孵,想做妈妈了。

有了赖孵鸡以后,接下来就是选择种蛋,种蛋我们叫"上世蛋"。由于母鸡受孕的比例很高,一般选择上大下小的二十个以上的蛋,放在一个下面垫有棉絮的草筐里,把赖孵鸡抱到蛋上面,利用母鸡的体温激活胚胎,每天要给母鸡喂水喂食,还要侍候它排便。母鸡还会经常用爪子翻动鸡蛋,以保持蛋受热均衡。

大概过了二十一二天,小鸡开始出壳。先是看见它在蛋的中间部位啄了个洞，慢慢地，洞越来越大，母鸡见了也会拼命啄食蛋壳，帮助小鸡出来。不一会儿，一只浑身湿漉漉长满嫩黄色绒毛的小鸡就挣脱了蛋壳，俏灵灵地站立在蛋窝上，嘴巴马上发出"叽叽"的声音，很快像怕羞似的钻到母鸡的肚子下面去了。

  小鸡出壳有先有后，二十几只种蛋一般要两天时间才能全部破壳。为了防止母鸡不小心踩伤踩死小鸡，要把已出壳的转移到另外一只草窝里。待最后一只小鸡出来，母鸡也解放了，二十几只小鸡和母鸡一起再转移到地上铺了一层稻草的大鸡窝里，主人会在里面放上碎米、饭粒、水，让小鸡开食。母鸡会紧紧看护着小鸡，让它们钻进自己的翅膀内、肚子下，尽情展现母爱。一周后，小鸡就可以放养了，母鸡带着一群小鸡开始到处觅食，领略这世界的风光。

养鸭子

养鸭子是生产队的副业，目的是将其生的鸭蛋卖给供销社，换取现金，增加收入。队里对养鸭比较重视，会指派一名富有养殖经验、责任心强的社员专门负责此项副业。

鸭子是喜水动物，生产队在河边搭有鸭棚，鸭棚的四周用竹棒围起一个场地，为鸭子提供休息、进食、下蛋的场地。

鸭子以群养为主，两三百只为一潮。白天，饲养员要把鸭子从鸭棚赶出来，让鸭子去河浜觅食洗澡。鸭子一到水里，可不像在岸上时走路摇摇摆摆的，马上活跃起来了，一些鸭子扇动着翅膀，痛痛快快洗澡，更多的是头钻进水里屁股朝天，倒悬着捕捉小鱼小虾。饲养员则划着一条只能载一个人的小船，手持竹竿，眼睛牢牢盯着鸭群，发现个别调皮的鸭子想脱离集体，就用竹竿拍打几下水面，让这几只鸭子重新归队。在鸭子经常下水的河堤，会出现一道平坦的缺口，河水涨高时容易漫堤，对河堤边的作物是一种威胁，所以生产队经常要对这条河堤进行维修加固，消除隐患。

在河道待上两个小时后，饲养员挥动竹竿把鸭子重新赶上岸。如果是冬季或早春,就让它们回到鸭棚,开始喂食。鸭子是杂食性动物,既吃鱼虾也吃谷子、麦子、玉米,因为队里贮藏着当年收获的大麦,所以鸭子吃得最多的自然也是大麦。如果是春耕季节,饲养员会把鸭子赶往田畈。此时,田里灌满了水,尚未种植水稻,有很多泥鳅、黄鳝、田螺以及蝼蛄、地老虎等昆虫,如果是"双夏"季节,田里昆虫更多,还有撒落在地的稻谷,正好成了鸭子们口中的美食。几个小时的放养,多数鸭子都胀了肫,食管塞得满满的,脖子里像爬着一条粗粗的蚯蚓。

看看天色已晚,饲养员赶着鸭子回家了。一路上,鸭子们脚步蹒跚,叫声也少了,它们或许在想,今天晚上要下一只大大的蛋,报答主人的赏赐。

第二辑

四季记趣

捉泥鳅

"天上斑鸠,地下泥鳅。"在那食物极度匮乏的年代,泥鳅成了农民口中的美味佳肴。

泥鳅生性活泼,多数时候生活在田间沟坑的浅水里或表土层里。我做农民时,粮食生产是全党全民的头等大事,农业一年三熟,冬种大小麦、油菜和草子,春种早稻,夏种晚稻,这些作物大都水生,农田一年四季不断水,这给泥鳅提供了良好的生存繁衍环境,春夏秋三季,田间沟渠随处可以看到它们的身影。

泥鳅鲜美,捉也不难。春耕时,随着犁头翻起层层泥浪,钻在泥土里冬眠的泥鳅就一条条露了出来。由于气温比较低,又没有水,这时的泥鳅只能蹦跳几下,一点反抗的能力也没有,一块田耕下来,扶犁人腰上系着的刀笼篰里,总能装上一两斤泥鳅。

等春秋两季种完田,捉泥鳅的地方就转到水沟里了。碰到难得的一个收工日,或在中午、傍晚,我们会拿着一只破脸盆、一只竹箩子,寻找一段水沟,在大约间隔五六米的两头筑起两条泥堰,然后用脸盆把里面的水戽出去,水干了以后，开始用手翻污水，钻在泥里的泥鳅乖乖地露出原形，一条条地被捉进竹箩里。这时，幸运的话还能捉到鲫鱼、黄鳝之类的。一两个小时后，我们浑身沾满泥巴，带着战利品美滋滋地回家了。

当然，捉泥鳅收获最多的是另一种方法。夏收夏种以后，中午烈日当空，我们浑身上下只穿一条裤衩，拎着小竹箩出发了。刚插下晚稻的水田里，水有点发烫，泥鳅们也怕热，扎堆挤在一个个由脚印形成的小水坑里。这里的泥鳅最容易捉，我们一脚踩在田埂上，一脚跨进田里，弯下腰，用手往水坑里一捧，七八条泥鳅就被兜进了竹箩。一个中午下来，可以捉到五六斤泥鳅，但自己的背上却晒起了泡，不几天就会蜕皮。

泥鳅拿回家，基本上都是做"下饭"。吃前，先抓一把草木灰倒在泥鳅堆里，以去除滑涎，然后将泥鳅剖肚开膛洗净，等待下锅，或煎或蒸，不一会儿，一盘带着浓浓泥土味的佳肴上来了，令人垂涎欲滴。

钓鱼

好多人都喜欢钓鱼,我也一样,小时候放学回家,一门心思想钓鱼。刚好我家门口就是一条不大不小的河,而且是活水河,南边通姚江,北边通慈江,河水经常流动,生存环境比较好,鱼繁殖快,种类也多,是钓鱼的好地方。河边还有不少人工设施,拖水机站、河埠头、桥以及停着的几条水泥船都是鱼类聚集觅食的场所。

那时,我们钓鱼没有正规的钓具,钓鱼竿是自己上山选择一根又细又长的竹子,连根挖出来,回到家加工而成,线和鱼钩是托人从城里买的,浮头是用鹅毛做的。线绑在竹梢上端,里面串上浮头,下端扎上钩,就是一杆钓鱼竿了。饵料基本上就两种:一是蚯蚓,但不是什么蚯蚓都可以,我们选择的是红蚯蚓,牙签那么大,在石板或大土块下面很容易找到。用一个小罐子,装上十几条蚯蚓,就是极佳的饵料了。二是米饭粒,这个更容易,从家里拿就是。

我们钓鱼并没有什么目的,只是兴趣和爱好。能钓上几条当然好,没钓着也无所谓。钓鱼时并不打"窝子",就是不预先放一大把饵料在水里以吸引鱼过来,只是选择一个适宜的位置把鱼钩放下去,至于鱼会不会来"馋",以及会不会上钩则听天由命。那时河里鱼真多，鱼钩放下去一会儿，就会有鱼来吃，上钩的基本上是小鱼，尽管不过瘾，但感觉很热闹。

  时间长了，我发现用蚯蚓做诱饵时，钓上来的以杂鱼为主，如鲶鱼、鲤鱼、"毛竹丁"之类的；用饭粒时，钓上来的多数是鲫鱼。有一次，我在河边下钩，放下去没多久就见浮头往下沉，竿子往上一提，沉甸甸的，说明有了，拉上来一看，是一条全身金色的扁扁的鱼，分量半斤左右，肚子大大的，可把我高兴坏了，连忙把它放进旁边的水桶里，兴冲冲拎回家。看到的人都说这种鱼他们没见过，叫不出名字。反正大家都觉得奇怪，河里怎么会有这种颜色的鱼呢，正因为觉得奇怪，就想多养几天后再享用，结果没多久它就翻白了，只好洗干净了做菜吃了。后来一个技术人员告诉我，这条鱼不是我们当地产的，是外地引进的新品种，不知道什么原因会在我们前面的河里出现。还有一次，我站在水泥船头钓鱼，只见线头一紧，我拼命一拉，一条差不多一斤重的鲤鱼被拉了上来。刚好我老爹坐在对面的石板凳上观看，见我钓上这么大一条鱼，也很兴奋，高声喊："快，快，抓住它！"我当然也高兴得不得了，以为今天有大收获了。不想鱼钩扎得不紧，鱼挣脱了钩子跌落在船头上，拼命地蹦跳，也怪我动作慢了些，被它一跳两跳又跳回河里去了，眼看到手的猎物又逃走了，心里的懊恼就不用说了。对面的老爹这时发话骂我了，说我这么笨，连一条钓上来的鱼都抓不住，我只好无奈地笑笑，有什么办法呢，只能再耐下心钓吧。人家说鱼有灵性，逃走的鱼会向自己的同类通风报信，果然那天再也没有鱼上钩了。

抲鱼

生活在江南水乡的人大多喜欢吃鱼，海边的更偏爱海鲜，但淡水鱼也是众人所爱。淡水鱼种类繁多，除了四大家鱼外，野生的鲫鱼、排鱼、乌鱼及虾蟹，都味道鲜美，百吃不厌。

要吃鱼，就要想办法捕鱼。捕鱼的方法很多，钓捕、网捕、笼捕比较常见，最原始最野蛮的是竭泽而渔，做法就是把河、湖的水抽干，或在河道、沟渠的两端筑一条土堰，把里面的水抽干，大鱼小鱼一起抓。

我家南边有一条长约百米的河漕，原是人工开掘的，为里面一家有机肥厂运输船提供方便。河漕连着外面的河，水经常流动，平时可见到许多鱼在游动。那年一月，河水很浅，河漕里的水量也不大，不少人在动心思，想抲这里的鱼。一天，队里一个与我年龄相仿的后生跑来和我商量，想与我合作，把河漕的水抽干抲鱼，正好我也有这个想法。

说动手就动手，那天下着小雨，天阴冷阴冷的，生产队刚好放假，我们趁此机会，先用锄头铁耙在河漕连接河的那端筑一道土堰，然后借来水车，从下午开始不停地往外抽水，水位渐渐下降，两个小时后，只有十公分左右了，按常理，这时可以下去抲鱼了。但河底一点反应也没有。我们蹚水过去，发现没有一条鱼，拨开水草想找找有没有泥鳅、甲鱼、乌鱼，还是没有。不知什么时候，天空飘起了雪花，我们俩又失望又冷，冻得牙齿"咯咯"地响。无奈只好歇手，把那条土堰扒塌，灰溜溜回家去了。

抲鱼最好的季节是清明至谷雨这段时间，油菜花黄了，渠道里、沟坑里积满了水，鲫鱼也到了交配时节，不知它们是怎么从河浜游进沟坑的，不时可听到油菜田里传来"啪啪"的响声。我们会循着这响声寻找其所在的位置，然后赤脚蹚在沟坑里，一会儿就有两条三个手指宽的鲫鱼到手了。

虫趣

金龟子、蟋蟀、蜻蜓、蝴蝶、谷蜢、萤火虫这些小昆虫,都是我们小时候喜欢捕捉、喜欢逗着玩的。

夏天,蜻蜓在空中觅食,蝴蝶在花间穿梭;寂静的晚上只听到"作作作"的蟋蟀叫声和"促促促"的织娘鸣唱。萤火虫忽闪忽闪的,一会儿近,一会儿远,一会儿飞高,一会儿落在草丛上。天地育众生,万物竟自由。

少年的心早被这些小虫子吸引,动了心思想捉几只玩玩。捉蜻蜓用的是网捕法,找一根长长的竹竿,顶端缚一个竹篾围成的圆圈,再找几窝蜘蛛网,用竹圈一窝一窝地印过去,一杆粘网就做好了。然后走到外面,对准飞着的或停着的蜻蜓一扫,一只漂亮的蜻蜓就被粘住了。然后,小心翼翼地把它抓下来,放在纸盒子里。用这种方法,一会儿工夫就可以捉五六只蜻蜓。可怜原来还在自由飞翔的蜻蜓们,一下子失去了活泼劲,只能在纸盒里扑腾,一两天后就死了。

捉蟋蟀是不用工具的。蟋蟀白天一般躲在砖缝石缝里,我们准备一只空火柴盒作为笼子,估摸着哪个角落有蟋蟀就去翻哪儿的砖头,里面的蟋蟀见到阳光,还不等我的手扑过去,它就跳走了,而且它的蹦劲特别强,一下子可以跳出很远。转过身再扑,压在手掌下,一点点抬起手掌,用另一只手抓住它的头部,放进火柴盒里。蟋蟀的两条大腿粗壮有力,但为了逃生会自动脱落,脱落后就再也不会发出声音了。所以我们捕捉时非常小心,生怕它的腿没了。捉住以后,还要辨别它们的性别。性别主要看它屁股的刺,我们叫"枪"。有两根刺的叫"两枚枪",是雌的,不会叫;三根刺的叫"三枚枪",是雄的,会斗会叫。两枚枪的一般就扔了,然后再抓一只三枚枪,把两只雄的放在一只搪瓷碗里,用一根细细的草,不断轻轻触碰它们的身体,刺激它们斗起来。

谷蟊就是蝗虫的一种,它专吃植物的叶子,属于害虫。它会飞,但飞不远,捕捉还是比较容易。被抓住的谷蟊可倒大霉了,我们要么把它的翅膀全部扯掉,疼得它嘴巴里流出酱油色的液体,看着它只能走不能飞,要么拿回家喂鸡吃。

萤火虫在飞的时候很难捉,只能等到晚上它停在草丛上的时候,顺着它发出的光亮,悄悄走过去用手扑住,放进装过青霉素药剂的小瓶里,十几只一瓶,瓶子里便一闪一亮的,冷光闪烁,照得见人脸,煞是好看。

最有趣的是玩金龟子。金龟子,我们简称"金虫",头小体大,触角端部演化出两个小方块,像戴着一顶古代的官帽,全身披着一层土豪金,华丽富贵。它喜欢吃树干或作物茎干受伤以后流出的汁液,闻到汁液的气味它们会忙不迭地飞过去,叮在那儿几个小时一动不动地吸食,这时是捕捉它们的最好时机。如果凑巧,同一树干上可以同时捉到好几只。金虫头部与胸腹部的连接处有一条细细的缝隙,我们会在那儿嵌入一条长长的棉纱线,打上一个结,然后手持线头让它飞,金虫感到自由了,张开翅膀飞了起来,并发出"呼呼"的响声。可是飞不多远，就被拉了回来，就像放鹞子一样。如此反复，直到它筋疲力尽飞不动为止。

蝴蝶翅膀上有鳞粉，而且容易死亡，捕捉以后很少作为玩物，只挑选色彩鲜艳，个头大的，夹在旧书本里，让其自然干燥，几个月以后就成了一只栩栩如生的标本了。

尽管可以玩耍的小昆虫不算多，但不知不觉中我们在童年接触了许多的自然知识，知道什么是害虫，什么是益虫，昆虫有几条腿，几对翅膀，它们各自喜欢吃什么，我想这比现在的孩子们一天到晚玩手机玩电脑要好得多。

拾田螺

田螺是一种软体动物,背上有苍黑色的圆锥形贝壳,爬行时伸出长长的触角,一般生活在水田里。春天是它们繁殖的季节,肠子里长满了成形或不成形的小田螺。到田里拾田螺,是农家孩子生活的乐事之一。

二十世纪七十年代前,农业上很少使用化肥、农药,农田基本上是自然生态,除了栽种的水稻等农作物外,还生活着田螺、黄鳝、泥鳅等水生动物,而这些恰恰是一丘农田富有生命力的生动体现。

"太阳落山,田螺摆摊。"拾田螺最好是在初夏早稻插种以后,或仲夏晚稻栽种返青至封行之前。傍晚时分,我们肩上扛着一根顶上绑着勺子的竹竿,手里拎着只竹篮,走向田野去拾田螺。这时的田野在晚霞的衬映下,一片嫩绿,生机勃勃。晚风一阵阵吹来,田间的水温降了下来,田螺们也趁机出来纳凉。我们走在田埂上,眼睛紧紧盯着稻丛间的水面,看见黑黑圆圆的东西,就伸出竹竿,用上面的勺子把它兜过来,这样既不用把脚跨进田里,又不会踩坏秧苗。天慢慢暗了下来,篮子里的田螺也越来越多。运气好的时候,拾田螺也不要这么费劲,碰到灌了水尚未翻耕的水田,我们会从田的这头蹚到那头,脚踩到硬硬的东西，弯腰一捡，准是一只田螺，这样来来回回地蹚上十几次，篮里的田螺也垒得很高了。

拾来的田螺，堆在屋里泥地上，一星期不会坏。除了自己吃或喂鸡鸭以外，我们还与邻居结伴挑到大隐等山区去卖，山里人没有水田，吃不到田螺，所以往往能卖上好价钿，有时能赚上一元两元，就已经笑逐颜开、欢天喜地了。

另外，田螺还有别的妙用。在饮水缸里养几只田螺，可以净化水质；田螺屁股剪掉后，里面会流出乳白色的汁液，把这汁液往发唱(发炎的意思)的耳朵里滴上一两滴，连续滴几次，炎症就治好了。当然，这种田螺是要在清水里养过好长时间的。

钓黄鳝

黄鳝是南方水网地带常见的鱼类,一般活动于春、夏、秋三季,喜欢栖息于池塘、小河、稻田埂边的泥洞和石缝中,冬天深居洞中冬眠。黄鳝以各种小动物为食,十分贪吃。黄鳝还有一个特点,就是会变性,小时候雌性,生育一次后,转变成雄性。这种性逆转现象在其他生物中很少见。

黄鳝味道鲜美,营养丰富。过去农民捉到黄鳝后,大的会烧着吃,小的斩就成一截一截的,喂鸡鸭。

抓黄鳝主要有两种办法。一种是诱捕。做农民的几乎家家户户都放着十几二十只黄鳝笼。黄鳝笼用竹篾编成,一头大一头小,大头的那端往里凹,中间有一孔,孔周边的篾条有弹性,把孔团团围住,黄鳝钻进孔里觅食,篾条张开,进笼后篾条自然闭合,再要出来就不可能了。小头那端有一个口子,用于装木塞,木塞的中间插有一细竹针,用来穿蚯蚓,蚯蚓就是诱饵。但这种蚯蚓只能用比筷子稍微细点的青蚯蚓,不能用红蚯蚓。据说这种青蚯蚓晚上会发光,它的气味对黄鳝有诱惑力。

太阳下山,天渐渐暗了下来,我们便挑着黄鳝笼走向田头,当时新种的早稻或晚稻已经返青,但尚未封行。我们走在田塍上,每隔十几米跳下稻田,在离田塍约一米左右的稻丛中放上一只黄鳝笼,将三分之二放在水面下,三分之一留在水面上,便于黄鳝钻入。第二天清晨,赶在生产队出工前,我们便兴冲冲地奔向田头,一只一只笼子收过去,运气好,大概六七成的笼子里有黄鳝,二十几只笼子就有十七八条大小不一的黄鳝;运气不好,可能总共才有两三条。

  另一种办法就是钓。钓钩是自己做的,找一根30公分长的铁丝,一头在磨刀石上磨成尖尖的,然后在火中煨红,用老虎钳折过来,做成钩子状,就是一杆黄鳝钩了。钓黄鳝前还要准备好青蚯蚓,放在一只铁罐里。利用一个空闲的日子,背一只竹篓,手持黄鳝钩,走在沟边田头。看到沟边或田塍边有泥洞,而且看上去泥洞还比较新鲜的,就可以下钩了。在钩上穿一条蚯蚓,轻轻地伸进泥洞,慢慢来回抽动,引诱黄鳝上钩,忽然感到有一股很大的拉力想把黄鳝钩拉进洞里,我们会很兴奋,使劲往外拉,一条通身泛黄,活蹦乱跳的黄鳝就钓到手了。一般来说钓来的黄鳝个头比较大,多数有两三两,重的有半斤,经验丰富的人半天下来可以钓到十几条。

摸蛳螺

过去,农村的河道清洁,生态又好,河里有各种生物,鱼虾、甲鱼、鳗鱼等水生生物经常会浮到水面上来,最多的还是蛳螺。蛳螺普遍叫"螺蛳",宁波人却喜欢倒过来叫,称"蛳螺",有点怪怪的。蛳螺生长在河沿边,喜欢吸附在河岸边的石头上,也有钉在河塘的硬土上的,河埠头、机埠、桥脚是它们聚集的地方,有时去河边洗脚洗手,手往石缝里一抓,就能摸上大大小小十几只蛳螺来。

夏天我们都在河里洗澡。如果想吃蛳螺了,会带着一只面盆,赤着膊,全身浸泡在河里,让面盆浮在水面上,沿着河堤,一边游泳,一边摸蛳螺,遇到水较深,手勾不到的时候,就潜水下去,抓上一把再浮上来。一小时后,可以摸到半面盆的蛳螺。运气好的话,还能顺便抓到几只小虾。摸蛳螺最怕的是河里的水草,水草下面也有好多蛳螺,但水草里往往藏着水蛇、蚂蟥之类的,如果你翻动水草,它们就会游出来,吓你一跳,一不小心蚂蟥还会叮在身上,你自己还不知道。觉得摸的蛳螺够一家人吃上一顿了,天色也晚了。我们歇手后,慢慢游回河埠头,重新把身子洗干净,回家吃饭去了。

当然，专业摸蛳螺的并不跳进河里，而是两个人用一条小船，一人划船，一人站在船头，两手并用，左手拿一杆头上绑着簸箕的竹竿，右手拿一把竹耙，两样工具同时伸进河里，沿着河边往河底扒，三五下后，把那簸箕起到船里，只见里面黑压压一片，既有蛳螺，也有小石子之类的杂物，一一挑拣干净，至少有两三斤蛳螺。船继续向前划去，反复如此操作，一个半天下来，可以扒到四五十斤的蛳螺。自己家是吃不完的，第二天会挑到菜市场出售。

蛳螺拿回家后，要在清水里养一养，让它们吐出污泥和其他杂质，一般养两个晚上，然后用剪刀剪去屁股，洗干净就可以下锅了。每家各有做法，我们家基本上以炒为主，镬烧红了，放上一些菜油，倒入蛳螺炒，待到蛳螺头上那层吸盘脱落了，再加料酒、酱油、地匀葱，十分钟的时间，一盘色香味俱全的炒蛳螺就上桌了，兄弟姐妹们会抢着吃，满桌都是"嗦嗦"的声音。

对了，为什么要把蛳螺的屁股剪去？就是为了方便吃啊。屁股剪去后，蛳螺的两头就通气了，吸食时，肉会比较容易吸出。

可惜现在好多河里都见不到蛳螺了，乡下人要想吃蛳螺也要上城里的菜市场去买。但愿经过"五水共治"后，农村的河道里能重新恢复水清物丰的面貌。

抲田鸡

田鸡是青蛙的别名。青蛙是需要冬眠的两栖动物,开春天气稳定转暖后,青蛙从藏身的泥土中钻出来,产卵生育,水塘里、小水洼里的小蝌蚪就是青蛙的幼虫。

青蛙的主要食物是小昆虫,并以害虫居多,所以,青蛙是庄稼的卫士,农民的朋友。但不知从什么时候开始,一些人动起了青蛙的念头,把朋友当成了美食,众多的害虫却借助农药加以消灭,也不管成本与残毒。

夏天的晚上,静静的村庄几乎没有什么声音,只有此起彼伏的蛙叫声和"啾啾"的虫鸣声,一切都显得安宁祥和。可如果你还不想睡,凭窗眺望,可见到远处田畈上有灯光在闪动,原来是有人在捉田鸡。

田鸡繁殖很快,走在河塘边、田塍上,不时可以听到田鸡扑通扑通跳下水的声音。田鸡肉润滑鲜嫩,蒸炒熘酱哪种做法都美味可口,比现在养殖的牛蛙要强得多,很多人都喜欢吃。

抲田鸡比较容易,一般由两个人一起配合抲。晚上,一人手持强光手电筒,一人拎一只大大的布袋子就出发了,拿手电筒的在前,光线照在路前方的边缘上,很快就会发现一只田鸡呆呆地蹲在那里,眼睛瞪得圆圆的,好像被灯光刺激得暂时失明了一样。那人悄无声息地踮步走过去,手臂快速伸出,手掌一下子扑在田鸡身上,手心传来一股冷冰冰的感觉,抲住了!后面的那个人张开袋口,前面的手一松,田鸡"哧溜"跳进了袋子。一路走去,一只只抲进袋子,到子夜时分,可以抲到三四十只田鸡。满载而归,回到家里,把田鸡全部倒入一口小水缸,盖上盖子,任它们在里面跳跃叫喊。

第二天,有人大开杀戒。宰杀的过程太过残忍血腥,还是不作描述为好,无非是砍头、剥皮抽筋,然后洗净下锅,变成了餐桌上的美味。

从抲杀田鸡这种行为来看,人类实在太过自私,为了满足自己的食欲,挖空心思搞吃的,什么动物都想吃、都敢吃。这种毛病真要好好改一改,让人与自然更加和谐,共同发展。

山珍

我们家西边有几座小山,连绵起伏约四五公里,最高的山峰海拔大概有300米,低的不过百米。这些山土层比较厚,但也有岩石裸露在外的。山脚坡地上生产队开荒种叶菜、番薯、马铃薯,随季节不同也种一些瓜类,如冬瓜、西瓜之类的;再往上一些,种了毛竹、桃子等林木和水果。这些坡地有的作为社员的自留地,由农户自己种植,有些是生产队集体种的,属于农业以外的副业。再往高处,则是松树及其他杂树,包括灌木丛和刺窠。秋冬季的晚上时不时有人上山,偷偷去砍松树枝和木柴作为家里的燃料,如果不小心被人发现,那是既要罚款,又要以偷盗集体财产被拉去开批斗会的。

由于封山育林,山上的植物种类繁多,好些野生的果子是可以吃的,也有一些是可以作为加工点心的佐料的。树荫下还会长出野蕈之类的菌类植物,所以山上也成了孩子们的天堂,队里的小伙伴们会经常结队上山玩耍,顺便享享口福。

艾 青

春天,杜鹃花一簇簇地开,野百合满山都是,艾青叶长出来了,地勾葱一

丛丛的遍地都是。小姑娘们会提着一只篮子，拿一把剪刀，沿着山坡，把艾青叶采下来，把地勾葱摘下来，放进篮子里。用不了多久，就是满满一篮子。地勾葱在河里洗干净，可作为炒菜时的调料，也可与鸡蛋一起炒，味道特别香。艾青叶是制作青团的原料。母亲先把艾青叶煮熟、捣烂，然后把艾青汁倒入糯米粉(或粳米粉)揉搓均匀了，分成鸭蛋大小的一块块，摊薄后，里面放进预先准备好的豆沙馅、猪油白糖馅，再把它搓成五花八门的形状，放入大镬的羹架上蒸。半小时后，打开镬盖，满屋清香，只见一只只青团乌青锃亮，泛着油光，冒着热气，十分诱人。我们迫不及待地用筷子夹起一只，放进嘴里，美得就像做了神仙，这样的青团我们可以一口气吃上四五只，撑得肚皮鼓鼓的。

松 花

春天里，树龄五六年的马尾松都会生出长长的花序，清明后十天左右就会开花，花粉又细又轻，随风飘散在空气中，肉眼就看不见了。松花粉金黄细腻，是做点心金团的辅料。据说松花粉还具有清热解毒、护肝明目、安心养神、抗衰老等保健功效。

因为松花粉很轻，遇上风就会被吹走，所以采集比较困难。我们一般会选择一个无风的上午，由母亲领着上山，采集工具是一块桌面大小的白布，一把刷子，一只小木桶。选择一棵看上去花序已经成熟的松树，把枝条弯下来，下面两个人悬空拉上布，另一人轻轻地拍打花序，花粉就洒落在布上了，开始星星点点，接着由点到面，渐渐连成一片，再用刷子一扫，俨然成了一座小金山。十几棵松树搞下来，可以收集到半桶花粉。

立夏前后，我们老家喜欢做金团。金团圆形，老式热水瓶瓶底大小，厚度约一公分，先像做面条一样把米粉加水反复揉搓，摘成一团团，每团里面嵌入猪油白糖芝麻馅，搓成团球状，放入印糕板里一压，一个圆圆扁扁的白坯饼就出来了。饼的正面有福禄寿喜之类的吉祥字画，也有花鸟虫草等图案。白坯饼放入镬里夹水蒸熟了，稍凉，放入洒着松花粉的白布上，让正反各面全部粘上松花粉，金团就做成了。这时拿上一个，咬上一口，嘴巴里是流淌的白糖猪油，牙齿上是不黏不散的米粉皮，上下嘴唇则沾满了金黄的松花。

金团可做点心，时间长了再蒸一下，味道依旧。也有做礼品的，邻舍隔壁，亲朋好友相互馈赠，充满了浓浓的亲情。

蕈

蕈(xùn)，高等菌类。香菇、蘑菇就是蕈类。这里要说的蕈指野蘑菇。蕈种类很多，有的可以食用，有的有毒，吃了要死人。野生的蕈一般在天气闷热、空气潮湿的梅雨季节生长，山的背面腐殖质层厚的树荫下及烂草堆上最多。

梅雨淅淅沥沥，一会儿停一会儿下，即使雨停了，空气中也弥漫着一层薄雾，如果可以像拧毛巾一样拧的话，马上就会拧下大大的一摊水来。这种时候，生产队的农活也较少，早晨八九点，我们会拿着一把柴刀、一只篮子上山，走进橡树丛和松树林，尽管天空仍然是乌云密布，但松针的脂香、地面漫过来的青草气息，让人心旷神怡。我们边走边找，每看到一棵蕈都会欣喜异常，并仔细加以辨认。多年来在老农民手把手的指导下，对于蕈有毒无毒的区别，我们已经有了相当的认识，所以基本上看一眼就能辨别清楚是否可以食用。如颜色特别鲜艳的，菌柄断了以后有乳白色汁液的，菌伞不规则甚至开花的，一般是毒蕈，不能采，更不能食用。颜色较浅，菌伞上面比较光滑的大多是无毒可食用的。我们还把可食用的蕈按不同颜色取了名，如浅绿色的叫"绿豆蕈"，咖啡色的叫"赤豆蕈"等。最难找也是味道最鲜美的我们叫"猴句头"，个头不大，呈棕色，菌伞一般不张开，圆圆的光头，很像猴子的头，大的有胡桃那么大，小的只有黄豆大小。"猴句头"以在松林下生长为主，要拨开落在地上的松毛丝慢慢找。如果能采到几只"猴句头"，说明你今天运气好。

　　蕈采回家后，把它们浸在水里，洗干净了，以做汤为主。烧时母亲会找出一根银钗子，放进镬里，据说如果有毒蕈混在里面，银钗子会发黑，烧好汤后取出银钗子仔细观察，没有变色就可以放心喝了。

毛栗子

　　栗子，南北方都有，大家都吃过。栗子树是多年生乔木，树干高大，树冠广阔。深秋栗子成熟时，要用长长的竹竿敲打下来。市面上出售的栗子外表光滑，发出天然的光泽，但栗子果其实长得挺吓人的，全身长满了刺，像极了一只小刺猬。成熟时果子会裂开一条口子，栗子就在里面，但你徒手是剥不开的，弄不好还会被它刺伤手，但总有办法。一是穿上鞋底厚厚的鞋，用脚拼命碾踩；二是把它摊在地上晒干了，用木棍敲打，栗子也很容易出来了。

　　我们小时候可不敢去采摘人家栽培的栗子，那属于偷窃了。我们会走上五六里路，爬到高山上去寻找那些野栗子。野栗子树不高，和灌木差不多，上面结了许多栗子果，个头只有荔枝大小，用脚碾开后，里面有两三颗小小的栗子，有玻璃球形的，有蚕豆形的，有半球形的。把这些栗子放进布袋里，采到五六斤的样子就回家了。然后把它们晒干藏起来，有空的时候炒着吃。还有一种吃法是先把外壳剥了，栗子肉与猪肉烧在一起，味道特别好。

选一棵枝叶茂密的老松树，把树頂轻轻摇一下，雨偏偏下人头上来。听见下雨，了把布拉开接着松花粉，做就酒浆花布片了。

丙申冬月 西北

汁　果

汁果生在山上的刺蓬窠里，属浆果，聚生，形状像小草莓，味道像杨梅，酸酸甜甜的，每一颗里面有粒小籽。夏天成熟时，刺窠的绿叶里衬着一点点红果，十分诱人。

摘汁果比较困难，它长在刺上，旁边的还好说，里面的就很难摘了。因为嘴馋，我们小时候也顾不了许多，自认为穿着衣服，不怕扎破了手脚勇敢地钻进去，汁果是采到了，可脸上手上则被刺拉了几道口子，裤子也被钩破了，回家免不了被母亲骂上一顿。

有一年，汁果旺发，山上到处是红艳艳的野果子。我来了兴致，从家里拿了只小篮子上山，见一颗采一颗，采了整整半篮子，回家洗净后又舍不得一下子吃完，想了个办法，找了一只大口玻璃瓶，把汁果全部倒入，又倒了半斤白酒，做成了烧酒汁果，偷偷藏起来，自己一个人悄悄地吃了好几天。

靠山吃山，山上的野果子远远不止这些，我们采过吃过的还有诸如刺果铃、汁汁梅、野猕猴桃、酸梅草等，至今这些味道还能回味起来。一座山带给我们太多的食物，也带给我们太多的欢乐。

钓蟹

新中国成立前，宁波境内的余姚江直通甬江，并通过甬江汇入大海。随着海水潮涨潮落，咸水溯江而上，最远可达余姚丈亭。姚江有许多海洋生物，各种海鱼、小虾、小蟹遍布整个流域。听老年人说，他们小时候，家里床底下经常会发现爬上来的小海蟹，一抓就是十几只。二十世纪五十年代中期，为了确保农业丰收，宁波在离姚江与甬江交汇处约两公里的地方修建了姚江大闸，以蓄淡水拦海水。从此，姚江上游的生态发生了很大改变，整条姚江变成了淡水河，海洋生物基本无法生存。航运也只能以姚江大闸为终点，货物要进入东海，必须进行接驳。不仅如此，姚江大闸的修建对甬江的影响也十分巨大。由于缺乏上游水流的冲刷，三江口及甬江航道淤积日益严重，只能靠清淤船人工疏浚。

小时候，我家门口的河道上还遗留着一些当时海水流过的痕迹，最明显的就是桥墩旁、河堤上有许多蟹洞，里面爬进爬出的全是不同种类、个头不大的蟹，如棕黑色、爪子上长满了毛的，我们称为"毛草郎"；全身暗红、大脚钳鲜红色的，称之为"红翠翠"。这些小生灵既可爱好玩，吃起来又味道鲜美，引得我们想方设法捉上几只。可是它们又很狡猾，一般情况下白天躲在洞里是不出来的，只有晚上才出来觅食。但道高一尺，魔高一丈。你不出来，我们就引诱你出来，办法就是钓。

夏天的上午，天气尚凉爽，我们找来一根竹竿，顶端缚上一条长长的丝线，线的末端并无钩子，而是缠上半瓣南瓜花。南瓜花鲜艳，又有粉香，对蟹很有诱惑力。我们拿着竿子，把花悬在蟹洞口，轻轻晃动，如果蟹心动了，会举起大脚钳钳住花和缠着的线往洞里拉，我们见时机已到，便把竿子往上一甩，一只张牙舞爪的蟹便落在了地上，哈哈，你终于上当了。钓上来的是一只"红翠翠"，很漂亮。但钓蟹的效率实在太低，一上午能钓五六只已经很不错了。有时，明明上钩了，南瓜花却在半空断了，蟹落到河里，让它死里逃生了。

二十世纪七十年代以后，河里再也见不到这些小蟹了，原因倒不是没有海水，因为我觉得它们已经适应了淡水环境，主要应该还是因为农药、化肥用得多了，特别是有机磷、有机氯农药，给它们造成了致命的伤害。现在我们那里已经看不到它们的踪迹了。

养蚕

杭嘉湖一带既是鱼米之乡,也是丝绸之乡,农田上种的是密密麻麻的桑树,养蚕产丝是当地老百姓的一大产业。我们宁波一带尽管也有养蚕的,但没有形成规模,零星养殖所产的蚕茧,也都被外地人收走了。

小时候我们养蚕,是一种爱好和兴趣,也是我们获得自然生物知识的重要途径。每年清明前后,我们会找出头年保存下来的产在报纸上的蚕卵,撕上一片裹在棉絮里,放进火柴盒,焐在贴着胸口的衣服里,保温孵化。两天两夜后取出来,只见有十几条比蚂蚁还小的蚕宝宝已经破卵而出,黑黝黝的,在纸上蠕动。我们赶紧从邻居家的园子里偷偷摘来五六瓣嫩桑叶,再找来一只长方形的纸盒子,然后用火柴梗小心翼翼地把小蚕拨到桑叶上,算是给它们创造了一个有吃有住的生活环境。

蚕这种生物,一出生就张口会吃,尽管很小,第二天早上打开盒子盖一看,桑叶上布满了一个个像针眼大小的孔,叶面上还留下了点状的蚕粪。会吃也会长,一周以后,小不点就有火柴头那么大了,并开始第一次蜕皮,我们称"一眠"。蜕一次皮,就长大一圈,到"三眠"以后,蚕宝宝差不多有小孩子的小手指那样大了,变得白白胖胖,手摸上去既光滑又有弹性,很舒服的感觉。待到第四次蜕皮后的四五天,蚕宝宝进入只拉不吃的状态,两天后,蚕身通体透明,准备"上山"了。我们找来麦穗,搭成三脚架,让它们爬上去吐丝做茧。大概也是一天时间,一只雪白的茧就做成了。由于品种不同,有些蚕结成的茧也有黄色的。

"作茧自缚",蚕把自己圈在茧里,慢慢地变成了蛹。再经过半个月,蛹羽化成蛾,破茧而出,雄蛾在与雌蛾交配后,当即死亡;雌蛾则开始产卵,我们把旧报纸铺上,让雌蛾将卵产在上面,一只雌蛾可以产四至五百颗卵,繁殖力真强啊!至此,蚕宝宝走完了它们光荣的一生,生命到了尽头。我们将产有卵的报纸存起来,准备第二年重新再养。

养蚕的过程是一个快乐的过程,每天我们采桑叶,然后静静地看着它们"沙沙"地吃。不知不觉中,蚕就长大了,特别是看到它们吐丝结茧,觉得十分神奇,每条蚕结出的茧,颜色、个头、形状几乎都一模一样,让人捉摸不透。现在我们都知道,这是生物基因遗传的结果。

拾舍

所谓"舍",就是在一种作物大面积收获后,漏在地里的或遗留在地里不要的作物。

生产队为了让社员的食物丰富一些,每年会利用山边田、旱杂地种上几亩马铃薯、番薯、西瓜、脆瓜等作物及桃、李、橘等水果,收获后会按照工分和劳力分给社员。

这些旱地作物在食物十分匮乏的当时,对农民具有很大的吸引力,孩子们更是喜欢。

我印象比较深的是马铃薯。马铃薯我们称之为艻。种艻在一至二月份,收获在立夏前后。那年我们生产队队长心血来潮,种了几亩艻。过了立夏节,队长一声号令:收艻去。于是全队社员扛着钉耙,挑着箩筐,开进了艻田。由于是生地种植,艻生得又多又大,大家都开心不已,欢声笑语响彻田头,人们享受着丰收的喜悦。

那年我尚在读初中,还未参加生产劳动。那天刚好放学在家,听说队里今天掏艻,一来想看看热闹,二来打算去拾艻舍,为家里添一碗下饭菜。于是我约了几个年纪相仿的小伙伴,背一把锄头,挈一只竹篮,兴冲冲奔向田头。社员们在前面一颗颗地掏,我们小孩子在他们掏过的地方再重新仔细挖一挖,不久篮子里就拾了不少"芋舍",大的像乒乓球,小的像桂圆核,前面一位兄长还不时有意无意地扔几个过来,让我们当"芋舍"拾走。这情况恰巧被队长看到了,他可能觉得我们小孩子损害了集体利益,影响不好。于是瞪着眼睛赶我们走,而我们这些小孩也不怕他,他说他的,我们照样忙自己的。这时我哥看不下去了,他当时已是队里的全劳力,见我们不听队长的话,急忙跑过来,一把夺走我们手上的篮子,把"芋舍"全部倒在生产队的箩筐里,又把我的篮子扔到很远的地方,叫我马上回家,不准再来,委屈得我直想哭,嘴上说着"不用你管",但还是只好乖乖地回家去了。

更有趣的是拾"西瓜舍"。秋后西瓜已经摘完,瓜地要翻种其他作物。这时我们就会满瓜地去翻西瓜藤,如果运气好,会找到一两只的"了藤瓜"。捧着瓜,开心地笑着,也不管瓜上面有没有泥,用手当刀,砸开了就往嘴里送。"了藤瓜"吃起来感觉还特别甜。

红刺根

二十世纪六十年代初的那三年,那真是苦啊。农业歉收,国家任务照样不减,许多农户断粮断炊,吃糠咽菜,甚至啃起了草根树皮。由于营养不良,不少人得了黄胖病(肝病)、浮肿病。

我家也一样,米缸几乎见了底。怎么办呢,总不至于饿死吧。我的几个哥哥跟着别人上了山,去挖红刺根和茅藤根。红刺根地上部分是带刺的灌木,叶子圆圆的,地下根部膨大,像番薯,呈暗红色;茅藤根的藤蔓延得很长,根部也是大大的,含有淀粉,味道有点淡淡的甜。红刺根拿回家后,洗净磨粉,做成像窝窝头那样的饼,蒸着吃。茅藤根洗净后就可以直接蒸着吃了,但里面有许多咬不动的粗纤维,难吃得很。

那时我年龄小,而且肚子实在太饿,看到红刺根窝窝头就急忙吞下几个。到了第二天早上就不行了,坐在马桶上大便,肛门就像被堵住了一样。我憋红了脸,用足了全身力气也拉不出来,还把马桶坐翻了,洒了一地的粪便,难受得只知道哭。母亲心疼得不行,一边安慰我,一边叫我把屁股抬起来,用手指从肛门里一点一点地把大便抠出来,总算缓解了我的痛苦。原来红刺根这种东西，进入肠胃后会大量吸收水分，并变得像石头那样硬，吃得多了，肯定会导致便秘。

后来又吃革命草根。革命草在河塘边路边到处都是，把它的根挖出来，蒸着吃，有点苦味，但也可以充饥。就是吃了以后要拉肚子，刚好与红刺根相反。我记得当时母亲一下子蒸了一大碗，我们一家人就围着那只碗，用手捞着吃，没过多久肚子就"咕咕"地响起来了。赶紧上茅房，一天拉了四五次。总算熬过了这段艰苦的岁月。到了1964年，国家政策有所放宽，老天爷也开了眼，天气好转，农业生产逐渐恢复，肚子基本上吃得饱了。

现在回想起来，当时那种饥饿感还会很恐怖地浮现在脑海。看到因为建设需要，大批大批的粮田变成了高楼大厦，心里时不时地会跳出一个问题，没有土地了，今后靠什么吃饭？是啊，饿过才懂得每一粒粮食的珍贵，民以食为天呢！

童乐

现在小孩生活丰富多彩，网络游戏花样众多、推陈出新，各种玩具琳琅满目、数不胜数。可在我们童年、少年的时候，有什么可玩的呢？玩具，买不起，小女孩连拥有一个洋娃娃都是奢望；电子游戏？没网络没手机没电脑。可玩是小孩的天性，尽管没有条件，但创造条件也要玩，而且玩得花样百出，不亦乐乎。

三角包

过去，香烟盒都是软壳包装，大人们一包烟抽完后，把烟盒随手一扔，孩子们看到后马上捡了起来，把外面那层印有香烟牌子和图案的包装纸揭下来，折成一个等腰三角形，这就是三角包。这样的三角包，每个孩子都有几十个，多的有上百个。

三角包以香烟牌子好的为贵，宁波人抽烟大多抽的是宁波卷烟厂生产的香烟。当时最便宜的是"大红鹰"，一毛三分一包，上面一个档次是"雄狮"，一毛八分一包，再好一点是"新安江""五一"和"上游"，价格分别是两毛三、两毛八、三毛三，最好的是"宁波"牌，价格在四毛左右。过年过节，如果有上海亲戚到乡下来，会带上海产的香烟，如"牡丹""大前门""红双喜""飞马""海鸥"等牌子。宁波一般农民由于家里穷，抽的基本上是"大红鹰"和"雄狮"。当时村头的小店是可以论支出售香烟的，以满足没有钱的瘾君子的需要。

由于"大红鹰""雄狮"抽的人多，废烟盒也多，所以小孩们收藏最多的也是这两种牌子烟盒折成的三角包。如果能捡到一只"牡丹"或"大前门"的烟盒，会当宝贝一样不肯拿出来。

放学回家或星期天休息，同村的男孩子们就会经常玩三角包游戏。如果三个人玩，其中一人会先把一只整整齐齐地放在地上，第二人对准这只三角包的一只角，把自己手中的三角包使劲往下甩，如果甩下去插进了地上那只三角包的一只角里面，不论插入多少，都算赢了，这只三角包就归你了。如果甩下去没有动静，就轮到下一个人打。这样反复轮转，直玩得头上冒汗。半天时间，输赢大概在十几只之间。

打煞坯

打煞坯书面话叫陀螺，形状略像海螺，因为越抽打，它旋转得越快，所以叫打煞坯。打煞坯我们都是自己做的，找一根手腕粗细的硬木头，锯下五公分左右的一截，上端削成圆柱状，下端削成圆锥状，顶尖处或钉上一枚小钉子，或钻个孔，嵌入一颗铁蛋，增加其光滑度，减少摩擦。然后找一根小竹棒，一端系上三四十公分的细绳，做成一根绳鞭子。选择一块水泥地，或比较平整的石板，就可以玩了。玩时用绳子缠绕打煞坯，用力抽绳，马上放在地上，使之直立旋转，接着拼命抽打，让它加速。几鞭下来，打煞坯越转越快，两分钟后，开始减速,再抽打,让它不停地转。

　　冬天的傍晚,晒谷场上、轧米厂内都会看到有孩子在玩打煞坯,几个一起转。然后大家把自己的往别人那儿赶,不一会儿,两个碰撞在一起,转速慢或者个头小的,就被撞翻了,于是大家都笑,说你的没用,打败的马上重新发动,拼命抽打,再次相撞,无奈个头太小,结果又输了。本来很冷的天,一玩"打煞坯"就不冷了,还会微微出汗,那实在是一项好运动。

西瓜棋

　　当时,农村棋具很少,一个生产队没几户人家有围棋、象棋。想走棋子怎么办,就因陋就简,土法上马,自己创造。劳动之余,我们玩得最多的就是西瓜棋和屙缸棋。找一块石板,没石板,泥地上也可做,用一块红砖碎片在地上画个圆,圆中间画上个"十"字,把圆切成四等分,在"十"字的四端与圆的交界处,再画上一个半圆,每个方位就有了四个交叉点,棋盘就做成了。然后找二至四人一起玩,每人各执四子,棋子可随地选取不同颜色的小石子充当,放在自己所处位置的交叉点上,再以划单双

西瓜棋的棋盘

的方式决定出棋顺序,比赛就可以开始了。棋子不分大小,先手为大,相互碰面,先手的可以吃后手的,直到最后把对方的子全部消灭。

　　屙缸棋的原理也差不多,只不过它的棋子更多一些,走法更复杂一些而已。

　　西瓜棋、屙缸棋既简单,又可以消磨时光,让我们暂时忘记劳动的疲劳,得到片刻的精神享受,是苦中取乐的一种娱乐活动。

滚铜板

"文革"前,农村不少家庭还保留着清朝遗留下来的铜钱、铜币。中空的叫铜钱,正面印有"乾隆通宝""道光通宝""光绪通宝"之类的字样;中间没孔的叫铜币,上面刻有"大清铜币"等字样。对这些铜钱、铜币,大人们不怎么当回事,孩子们要拿出去玩也是睁一只眼闭一只眼。有时在地板下、瓦砾堆、湖岸边也经常能捡到,因为觉得不值钱,所以自然成了孩子们手中的玩具。

铜币我们称之为"铜板",玩耍的主要形式是滚。滚,宁波话叫"擂"。选一个比较平整的场地,一端斜放一块砖,十米左右的另一端画一条线作为边界。参加人数可多可少,一般三四个人,按次序排队,每个人手拿一枚铜板,走到砖板前,站直身子,让铜板自由落体,落在砖板上,铜板就滴溜溜地"擂"出去了。然后看谁"擂"得远,超过底线了,就是犯规,不能参加这轮接下来的活动了,如果刚好压着底线,你就是第一,可以首先开打。人或站或蹲在铜板停留的位置上,用你的铜板去打别人的铜板,打着了,这枚铜板归你,打不着,轮到第二名打,一直到地上的铜板被吃光为止,然后再进行第二轮。一次游戏下来,本事大的可以赢十几枚铜板。

现在,清朝及以前的铜钱、铜板都成了古董,据说在钱币市场上还相当值钱,家里即使还有,也不肯轻易拿出来了,更不用说给小孩子玩了。我家里原有的这些东西,也不知道去哪里了。

打弹子

打弹子是我们小时候经常玩的游戏。

弹子,就是玻璃球,也有用桂圆核代替的,叫"乌木弹"。

选择一块泥地，长度在四米左右，两端各画一条线。离线一米挖一个浅浅的洞，隔一米再挖一个，共挖三个洞，分别叫头洞、二洞、幺洞。

准备好场地后，游戏开始。几个人分先后，手持弹子，对准头洞用大拇指把弹子弹出去，进洞了，再瞄准二洞打，再进再打幺洞，打进了幺洞打向底线，离底线越近越好，打过头了，就不能再打，把弹子留在那儿。如果一个洞一次性没进，也要停在那儿，待其他人打完了，再继续打，直至全部打进三个洞，进入输赢环节。

规则明确，离底线最近的弹子有打击别的弹子的优先权。只见优先者拿起自己的弹子，蹲在原地瞄准别的弹子，用大拇指把自己的弹子弹过去，刚好弹到了，那颗弹子就收进了自己的裤兜里，没弹着这一轮就失去资格，让下一个人上手。由于玻璃弹滚着快，手指一弹会弹出很远，所以要赢下一颗，需要花费较长时间，一盘下来一个小时就过去了。

弹子打得次数多了，表面上坑坑洼洼的，变成了麻子。但我们都不舍得扔，因为玻璃弹子得来很不容易，有的还是从学校的玻璃跳棋里偷来的，所以都很珍惜。如果一次游戏输了好几颗，也蛮心疼的。

以上这些基本上是男孩子玩的，女孩子则喜欢跳橡皮筋、踢毽子之类的游戏。当时尽管生活贫困，但童年永远是快乐的。

放鹞子

宁波人口中的鹞子即风筝,放鹞子是孩子们最喜欢玩的游戏之一,我们小时候也乐此不疲。

农历三月,春光和煦,春风拂面,芳草萋萋,正是放鹞子的好时光。下午放学后,我们几个小伙伴聚在一起,开始做鹞子。找来几根竹棒,用菜刀剖开,削成细细的竹针,用绳子或细铅丝扎成"田"字形或"日"字形的骨架,然后在骨架的正反面用报纸糊上,鹞子的头就有了。尾巴也是用报纸做的,就是把报纸剪成条状,粘在鹞子的头部。再在骨架的中心用线打一个三角结,连接上一只线团,鹞子就做好了。

我家的西边是一座高不过五十米的小山包,形状像乌龟,所以叫乌龟山。乌龟山山顶有裸露的岩石,周边只长草皮,不长树。极目四望,天地一目了然,天上白云飘飘,田野黄绿相间,村庄炊烟袅袅,这种地方最适合放鹞子了。

我们三四个小朋友,每人手提一只鹞子,兴冲冲爬到山顶,准备一展身手。那天风不大不小,正是适合放鹞子的风速。我们一手高举鹞子,一手捏着线团,迎风而跑,"刮刮"一响,手一放,鹞子马上飞了起来,开始还只有一人多高,随着手中线头渐渐放长,鹞子越飞越高,空中的线绳也弯曲成了弧形。抬头望去,只见天空中三四只鹞子拖着长长的尾巴,随着风向摇头摆脑,一忽儿左边的那只飞上去了,一忽儿中间的那只又超过了它,好像它们也不甘后人似的。看着鹞子已经飞得够高,其中一个旁观者拿过来一张戳了一个洞的纸,说是要递个纸条给上面,叫它不要飞得太高了,我们叫送信。把纸条穿进线绳,风带着它"呼呼"地往上蹿,不一会儿就到达了鹞子身上,快递成功,大家欢呼雀跃。

由于鹞子的线绳多数用的是家里缝补衣服的棉纱线,韧性不够,鹞子放得高,线的吃力很重,所以往往我们正举头看着鹞子越飞越高,突然拉线的人发出一声惊叫:"线断了!"这时鹞子马上就翻起了筋斗,飘飘摇摇地飞远了,最后落在电线杆或人家的屋顶上,一只辛苦做成的鹞子就废了。

发大水

二十世纪五六十年代，农村水利设施建设十分落后，"农业旱涝保丰收"还是一句口号。我老家也是三日两头遭受自然灾害，要么涝要么旱，但涝的年份相对多些。那时我还是儿童，不知道一场洪灾造成的农业损失有多大，大人们是如何担忧的，只知道发大水好玩，可以打水仗、扨河鲫鱼。

那一年的梅雨季节很反常，倾盆大雨连续下了几天几夜，我家门口的那条河，水位暴涨，一天一夜的工夫就漫到我们家的大门内，继而漫进了房间，家里的木凳、坛坛罐罐等都漂了起来，几块没钉住的破地板也东漂西漂的，外面田野里更是白茫茫的，汪洋一片，已经根本分不清哪里是河道，哪里是道路，哪里是田畈。这时外出是很危险的，一不小心就有可能失足落入深水中，那就性命难保了。

但玩性正炽的人是顾不得危险不危险的。这么大的水，正好到水面上去潇洒潇洒。于是我和我哥卸下了家里的一扇门板，把它扛到门外，找来一根竹竿权充船篙，两人跳上门板，竹竿一撑，溜地划了开去。离大门50米就是河道，一划就进入了。这时用竹竿已经戳不到底了，心里有点害怕，双脚拼命使劲,紧紧地贴在门板上,哥拿竹竿当桨,我蹲下来,用手作桨向前使劲划水,边划边笑,也不怕全身都是水,一下子划了好远。正玩得开心,母亲突然出现了,她见我们胆子这么大,怕出危险,大声地叫:"快划过来,你们性命不要了?"多亏那天水流还算平稳,我们定了定神,掉转方向,向母亲所在的位置划去,估准了下面原来是路,"扑通"一声跳进水里,母亲稳稳地把我们扶住了。游戏结束,两人悻悻然扛着门板蹚水回家。不用说,被母亲一顿臭骂。

  忽然,空中传来"哒哒哒"的声音,不知发生了什么,急忙奔出外头,抬头一看,是一架直升飞机正在两三里外的小山包上盘旋。听大人们说,是政府派来空投食品救灾的,早见一伙人爬到山顶上,飞机对准他们所在的位置,正一包包往下扔东西,可能是面包、面粉之类吧。这些空投的食品估计是被公社干部运走了,不知哪些地方运气好得到了救济,至少我们大队没有分到过。

下雪天

现在,气候转暖,江南一带很少下雪了,即使偶尔下雪,平原地区也只是空中飘飘,不等落地就融化了,地面上很难积起雪来。我们小时候,冬天那是经常下雪的,有的年份积雪厚度差不多会达到50公分,如果在雪地走,会留下深深的脚印。

"冬雪是宝,春雪是草。"立春之前下的雪,叫冬雪,为冬季作物补充水分,又对清除害虫十分有利,所以农民期盼着下冬雪。春雪尽管没害处,但雪融化后,水量过多,容易引起内涝,农民并不喜欢。

下雪对小孩子来说,是欢天喜地的大好事。一来不用上学,可以睡懒觉。二来雪花可以带来好多欢乐。起床后,顾不得吃早饭,便在雪地里玩开了。拿来扫把、铲子,把积雪堆成一堆,先堆雪人,后做雪桥。雪人的眼睛是两粒鹅卵石,鼻子是红辣椒。雪桥要做成西湖的断桥模样,有桥洞有台阶,人踏上去还不会坍塌。

午饭后,雪花还在飘着,大地银装素裹,分外妖娆。我们"无事生非",走出后门看着苦楝树上的麻雀叽叽喳喳,不停地飞来飞去,知道它们在雪天里觅不到食，饿肚子了，正是诱捕它们的好时机。重新回到家里，找了一只竹匾，拿来一条细绳，再从谷柜里捞出一把稻谷，跑到后门外，冒着大雪，支起竹匾，并在竹匾下面撒下谷子，在支架上系好绳子，拖至后门里面，诱使麻雀来觅食。

我们躲在后门里，大气不出，眼睛盯着竹匾，盼望麻雀快点钻到下面去吃谷子。其实麻雀很有灵性，比较狡猾，如果看到人影，它们是绝对不会去冒险的。所以我们只能耐心等待。大概一刻钟以后，有两只麻雀憋不住了，东张西望，疑心重重地从树上飞了下来，觉得没什么危险，就钻到竹匾下面吃了起来。正在这时，我们一拉绳子，支架倒了，竹匾一下子盖了下来，可怜的两只麻雀成了瓮中之鳖。

"下雪不冷化雪冷。"化雪时要吸收热量，气温比下雪的时候还要低一些。所以雪水从瓦片缝滴下来时，很快就结成了冰，随着水滴继续，冰柱慢慢变长，成了冰凌，极像凝固的冰糖。我们见状会贴着墙壁攀上去，掰下一根，像吃棒冰一样含在嘴里，好像热天吃冷饮。

打雪仗也是欢乐时光，团一个雪球，几个孩子你扔我一个，我还你一个，直到满头大汗，浑身湿透。雪天，带给了我们多少欢乐呀！

第三辑

时代记历

批斗会

毛主席在世时讲"以阶级斗争为纲",人以家庭成分分类。农村以雇农和贫下中农出身为荣,他们是农村的统治阶层,"地富反坏"属批斗和改造的对象,这些人及其子女处于农村社会的最底层,备受歧视和欺负。所谓"地富反坏",是指地主、富农、反革命、坏分子。

成分是在二十世纪五十年代初土地改革的时候评定的。评成分虽然有一定的政治标准,但也比较随意。比如,评地主的条件,就是拥有十亩以上的耕地,平时雇有长工,农忙时也雇短工。富农,自己拥有十亩以下的土地,雇短工,自己也参加劳动,但有剥削。反革命则是在民国时期当过乡长、保长、甲长之类农村基层政权及自治组织的领导职务。坏分子是指一贯以来吊儿郎当、不务正业、鸡鸣狗盗之类。以上四种人称之为"四类分子",1957年反右派斗争把提过意见的、定性为右派的知识分子下放到农村,进行劳动改造。农民就把这些人统称为"五类分子"。

成分一经划定,就决定了这个人和这个家庭一生的命运。"五类分子"在农村吃尽了苦头,尤其是在史无前例的"文化大革命"中,他们比普通百姓吃了更多的苦，有的甚至被打致残，还有的遭受牢狱之灾。他们的子女也受到牵连，政治上被"打入冷宫"，读书就学受到限制，个人婚姻长期解决不了，甚至光棍一生。

我那时大概十几岁的年纪，亲历过生产大队组织的批斗会。有一次批斗的对象是一个"坏分子"，年纪已经五十多岁了，地点在我们大队的轧米厂。这个人是地道的农民，平时也没有什么大的毛病，就是喜欢小偷小摸，偷的也是不值钱的东西。比如，蚕豆、豌豆成熟了，他会趁着夜色，偷偷地摘些过来，第二天煮熟了，除了自己享用外，还端一碗给邻居吃。邻居说："谢谢你了，你辛辛苦苦偷来的，还要省点给我们吃。"就这么一个人，这么点破事，可偏偏有人报告大队说他损害集体财产谋私利，结果被揪出来批斗。当然他不会坦白交代，大队的民兵说他不老实，不认罪。于是刑罚就上来了，先是打耳光，看他还是不认，就把他五花大绑吊起来，疼得他"嗷嗷"地叫。但我看他还是过硬，从头到尾没承认偷也没求饶。最后民兵们觉得拷打不出什么问题，才把他放下来。

"五类分子"在农村普遍过得苦，但也有区别。"地富反坏"主要是劳动改造，做义工，外出要请假，偶尔还要陪斗，右派分子相对好些，农民对知识分子还是比较尊重，不叫他们干重活，有学校的就叫他们做老师，或者做个记工员什么的，这些人也是尽心竭力教孩子们读书，做了不少好事，至今受到过他们教育的人还在念叨他们的才学和好处。

好在十一届三中全会以后，我们党恢复了解放思想、实事求是的思想路线，拨乱反正，为这些"五类分子"摘了帽，让他们重新回到了人民的怀抱，这些人再也不用过那种提心吊胆的生活了，他们的子女也过上了正常人的生活。真好！

"破四旧"

1966年,"文革"刚开始不久就提出要"破四旧",即破除几千年来一切剥削阶级所造成的毒害人民的旧思想、旧文化、旧风俗、旧习惯。从此在全国范围内掀起了一场轰轰烈烈的"破四旧"运动,中华民族几千年以来的文化积淀遭受了空前破坏。尽管这场运动的重点在城市、文化单位和知识界,但也不可避免地涉及农村,波及每一户无辜百姓。

有一天,我哥回家对母亲说,现在上面号召"破四旧",过几天红卫兵就要到各家各户搜查,搜出来的"四旧"要没收销毁,如果我们家有这种东西,赶快自己处理了吧。母亲听了吓了一跳,想了想说:"我们家没什么东西,就是堂前间的阁楼上放着祖宗神主牌,这些东西算不算'四旧'?"我哥说:"算的。"于是,我们哥几个爬上阁楼,把神主牌全部搬了下来,母亲小心翼翼地接过来,一边连声说"罪过罪过",一边把它们扔进了灶膛里,一把火烧了。果然,第二天大路上走来了一支队伍,大约有十几个人,他们进户入室,仔细查看有没有属于"四旧"的东西,搜来的东西都装在随身携带的麻袋里。待到我家时,这些人的态度倒还可以,大概是看到我家门口贴着一副"发扬革命传统,争取更大光荣"的对联，认定我家是军属的缘故吧。他们进了我家，草草看了看，没发现什么可疑的，就匆匆走了。

那一年，我差不多十岁，正是喜欢凑热闹的年龄，看到红卫兵们挨家挨户抄家，觉得很兴奋，便不由自主地跟着他们走了。不久，我们走进了一户房子砌有马头墙的人家，此户主人姓王，过去在上海做生意，家里有一定积蓄，还收藏了一些古籍、字画、古董，红卫兵们里里外外仔细搜了一遍，搜出来一大堆东西，全部没收了。其中有一人一直搜到灶间，发现灶膛里塞着一张纸，拿出来一看，是一张伟大领袖像。这还了得，竟敢污辱敬爱的领袖，于是他急忙报告头儿。可怜那姓王的五十多岁的老头马上被拿下，反绑着双手，头上戴上纸糊的高帽子，上面写着"现行反革命王××"，游街批斗，吃尽了苦头。后来我年龄大了些，回想这件事，一直觉得有蹊跷。这张领袖像如果是姓王的自己塞进去的，为什么当时不点把火直接烧掉呢，一定要留下污辱领袖的证据被人发现自讨苦吃？会不会是有人故意做手脚，陷害姓王的？我想很有可能。但当时谁也不会去追究这幕后的黑手，把这个姓王的批臭斗倒就是很大的功劳了。

这场运动不仅把可以移动的所谓的"四旧"给毁了，而且把无法移动的如过去大户人家门庭上非常精美的砖雕、木雕给凿了。现在每每看到墙上遗留下来的那些无头无身无手脚的雕画，就会有一种痛心的感觉，当时我们实在是太愚昧了。

宣传队

我们年轻时，农村十分封闭，文娱生活匮乏，又禁赌博，一天到晚被束缚在田头，晚上又没有活动，可把年轻人憋坏了。大队团支部因势利导，组建了文艺宣传队，让喜欢热闹又有点文艺爱好的青年参与进来，唱歌跳舞玩乐器，这下子大队里可热闹了。

当时条件艰苦，大队也拿不出钱来支持，只有公社团委、文化站的同志偶尔会下来辅导一下，搞文艺活动主要还是靠自娱自乐。记得当时的乐器都是自己动手做的。有人捉了一条乌梢蛇，剥了皮，贴在门板上，用图钉固定，待蛇皮干了，锯一截毛竹筒，一端贴上蛇皮，再在中间凿一个洞，安上一杆木柄，装上弦桩弦线，再做一杆拉弓，一把京胡就做成了。二胡、笛子、铜鼓、的笃板等也都是就地取材自力更生做成的。

有了这些土乐器，就更热闹了，开始时"叽勾叽勾"的，曲不成调，几天后便能一首歌拉下来了。接着便是排练节目，在乐器伴奏下，独唱、合唱及小情景戏都演起来了。当时也没有什么流行歌曲，唱得最多、演得最频繁的还是样板戏，《红灯记》里的李铁梅，《智取威虎山》里的杨子荣、小常宝以及《沙家浜》

里的阿庆嫂等,唱得声情并茂,演得惟妙惟肖。还有一种表演形式叫"三句半",四个人手持的笃板,边说边敲,内容通俗易懂,说词幽默诙谐,男女老少都爱听,常常引得听众哈哈大笑,击掌叫好。

宣传队不仅在自己的生产大队演,好的节目还被选送到公社参加汇演,更优秀的被推荐到外面公社去演出。宣传队的成员都以参加这种活动为荣,积极性高涨,从来没有过要补贴、要报酬的想法。队员之间接触多了,也有悄悄谈起恋爱的,个别的最终结成了夫妻。

在当时文化沙漠状态下,有一支土不拉几的宣传队,无疑是给这个地方注入了一股清泉,滋润了农民枯燥的生活,给人们带来了歌声,带来了欢笑。至今五六十岁的在农村生活过的人,回想起这些,脑子里还会不由自主地显现宣传队战友倩丽的身影,响起地动山摇的响亮歌声。当时唱过的歌,不少人至今还在心里默默吟唱。

桥头

石拱桥、石板路是江南水乡的鲜明特色。千百年来,这路上、这桥上不知发生过多少悲欢离合、苦乐酸甜的故事,那被脚步磨得光滑如镜的每一块石板,仿佛都可以向你讲述一个传奇。

我老家村头的桥比较简易,桥面是两块硕大的石板,石板之间还裂开了一条手指粗细的缝,从缝往下看,可以见到河面。石板上凿有石榫头,两边分别竖嵌着两块同样硕大的石板作为护栏。桥的两翼是石条铺就的台阶。形状虽不美观,但牢固实用。

夏天的傍晚,桥头开始热闹起来。一群孩子把桥头当作了跳水台,只见他们上身赤膊下身穿一条小裤衩,站上护栏,准备"甩桥门"。领头的那个率先脚尖一蹬,双腿一缩,"嗖"地跳了下去,水面马上溅起了高高的水花,那小孩憋住一口气,一下子潜游到五十米开外才浮出水面。接着第二个孩子也扑通一声跳了下去,但他没控制好,身子平平地往下坠落,在身体与水面接触的一刹那,桥洞回响着巨大的碰撞声,不用说,他的胸部腹部肯定是火辣辣的。一会儿,十几个孩子都跳进了河里,从桥头看过去,河面上是一个个乌黢黢的小头颅,而且相互之间不停地泼水打仗,闹得不亦乐乎。

吃过晚饭,天已经完全暗了下来,繁星点点,初一初二的眉月,初八初九的半月,十五十六的圆月早已悬在半空。我们抱着一领草席,踩着木屐,来到桥头,准备纳凉听故事。桥板上已经有人占了位置,有的躺着,有的坐着,有的倚在桥栏上,我们赶紧铺下席子,仰躺着眺望星空,只见牛郎织女星隔河相望,北斗七星熠熠生辉,北极星孤芳自赏。流星像过客,不时划过天际,令人无限遐想。在众人的叽叽喳喳声中,有人放开嗓子讲开了。讲的无非是神灵鬼怪,帝王将相,趣闻逸事以及民间传说,听得我们一愣一愣的。我至今还有印象的是一个老知青讲的吕洞宾的故事。他说话眉飞色舞,抑扬顿挫,很有语言表达能力,吸引我们侧耳静听。故事的大意是:元代名医朱丹溪医术高明,人称神医,连天上神仙吕洞宾也知道了他的大名。吕神仙很不服气,扮作道士,拄着拐杖,一瘸一拐地走进朱丹溪家求医。朱诊脉后说:"六脉和通,非仙即道。"吕洞宾没料到朱丹溪这么厉害,只得实说:"我确实没病,是向你来讨教的。"吕邀请朱去酒楼喝酒。路上,他掐指一算,知道酒楼对面一户人家有个肺痨病人,已经快要断气了。他俩刚到酒店门口,便听见对面有人号啕大哭。吕趁机邀朱进去,问朱:"人人都说你是神医,这人能医好吗?"朱上前一摸病人的手,感到难治。他沉思了一会儿,反问吕:"道长,你能医吗?"吕说:"能。"朱随即说:"那就请道长显显身手,让我开开眼界,领教领教。"吕说:"好。但有个条件,我医下半身,你医上半身。"朱答道:"那请道长先医。"吕洞宾从随身带着的葫芦里取出三粒药丸,塞进病人的嘴巴。不一会儿,奇迹发生了,病人僵硬的下肢动了起来。家人目瞪口呆。吕笑笑对朱说:"下面看你的了。"只见朱从身上取出药瓶放在桌上,不经意间袖子一拖,瓶子倒了,药丸滚了出来，吕洞宾见状，马上弯腰捡了起来，边捡边说："快让病人服下。"朱丹溪不慌不忙接过药丸，扳开病人嘴巴，用开水灌了下去。霎时，病人呼吸均匀了，能够开口说话了。吕洞宾惊讶地问："你用的是什么药啊？"朱答道："铁皮石斛。"原来朱丹溪已经猜到吕洞宾是神仙，所以故意把药瓶弄翻，以借吕洞宾的手使药丸沾上仙气，治病救人。吕洞宾果然上当，成就了朱丹溪的神医美名。

我们小时候除了读书的课本外，很少有课外书看，许多知识就是通过听大人们口口相传的故事得来的。桥头是一个不可多得的社会学堂，在桥头这种地方听故事、听历史，让我们从小学习古代劳动人民的智慧，传承中华民族的优秀文化。

忆苦饭

"文化大革命"时,人们嘴里说得最多的政治口号是"千万不要忘记阶级斗争""阶级斗争要年年讲,月月讲,天天讲",墙上刷得最多的标语也是这些内容,让人们耳濡目染,牢记在心。对中小学生的政治教育更是如此。

记得当时老师教过的一首歌,叫"不忘阶级苦",歌词是这样写的:

天上布满星,

月牙儿亮晶晶,

生产队里开大会,

诉苦把冤申。

万恶的旧社会,穷人的血泪恨,

千头万绪,千头万绪涌上了我的心,

止不住的辛酸泪挂在胸。

不忘那一年,爹爹病在床,

地主逼他做长工,累得他吐血浆,

瘦得皮包骨,病得脸发黄,

地主逼债好像那活阎王,

可怜我的爹爹把命伤。

不忘那一年,北风刺骨冷,

地主闯进我的家,

狗腿子一大帮。

说我们欠他的债,又说欠他的粮。

强盗狠心抢走了我的娘,

　可怜我这孤儿漂流四方。

不忘那一年,苦难没有头,

走投无路入虎口,给地主去放牛。

半夜就起身,回来落日头,

地主鞭子抽得我鲜血流,

可怜我这放牛娃向谁呼救。

不忘阶级苦,

牢记血泪仇,

世世代代不忘本,

永远跟党闹革命。

唱着这种充满苦难、激情澎湃的歌曲,怎能不激起我们对国民党反动统治、对地主阶级的仇与恨呢？

学校里还会时不时地举行一些活动，让学生始终牢记阶级仇，坚定跟党走。忆苦思甜就是其中的一种形式。所谓忆苦思甜，就是忆旧社会之苦，思社会主义之甜，思共产党、毛主席之好。安排一个上午，请来一位在旧社会当过长工、吃过地主苦头的老农民给我们上课。老农民是文盲，说话没有条理，语无伦次。总体意思是：十几岁就给地主当长工，睡的是牛棚，吃的是猪狗食，一天要干十几个小时的活，地主还不满意，还要说他偷懒。举例说，地主一家吃的是猪肉和新鲜的鱼，给他们长工吃的是海蜇头和咸鳓鱼，地主真坏。后来又不分旧社会新社会，不着边际地说，那个时候还不算苦，最苦的时候还是三年困难时期，没东西吃啊，差点饿死。主持老师听他说偏了，马上打断他的话，让他结束讲话。

老农民走了，我们又回到教室。接近中午了，学校安排了忆苦饭，就是用米糠做的饼，每个学生要拿两个当作中饭。米糠本来是喂猪和鸡狗的，据说旧社会地主给长工们吃的也是这样的东西，学校叫我们尝尝，就是要我们体验长工们的生活，回忆过去的苦。糠饼又糙又涩，难以下咽，只好咬一口，嚼也不嚼，生生吞下去。实在吃不下了，趁老师不注意，悄悄把饼粘在桌椅底板上，就算完成任务了。

这样的教育搞得多了，老师、学生都有些反感，七十年代就基本不搞了。但至今，地主阶级、资产阶级剥削压迫农民、工人的景象偶尔仍会浮现在我们这辈人的脑海中，可见当初印象之深。

平坟头

千百年来,不知死了多少人,人死了就要做坟下葬。农村的山上、田头、路边,古往今来堆积了许多大大小小的坟头。有钱的、当官的坟,石砌砖垒、规模宏大、豪华气派;穷人的坟一般只是一个土堆,有的甚至没有墓穴,草席裹尸直接盖上泥土。

这么多坟,大多数由于年代久远,变成了无主坟,但由于人们普遍认为拆坟平坟不吉利,所以一直留存至今,既占用土地资源,也影响生态环境。"文化大革命"中,作为"农业学大寨"、破除"四旧"的一项重要任务,生产队开展平坟运动,除了有主坟以外,绝大多数的坟头被平整,一些做在耕地上的坟,即使有后代在,也被动员迁移到了山上,而且几柱坟拼在一起葬一个地方,腾出来的坟地经过整理变成了耕地。

平坟头可是个力气活、苦差事。拆下来的石头、石板、砖头,甚至棺木都要再利用,石头、砖头用于生产队修造仓库,石板用于修桥铺路,棺木做成稻桶和长凳。这些建筑材料都由社员肩扛背驮从山上运到生产队的晒谷场堆放。我记得有一次我们生产队拆一柱大坟。这柱坟的主人可能是当官的,光墓碑就差不多有两米高,墓道旁还有六块长七八米的长条石,砌坟的石板、青砖不计其数。这块墓碑卸下后,由四个全劳力抬下山来,那些长石条则动用了六七个全劳力才抬下来。抬石板石条有两个技巧:一是缚绳子。缚前要估算好石板的重心,找准缚绳的位置,抬时不至于倚轻倚重;二是要步调一致,尤其是六七人一起抬时,大家必定会喊号子,"杭育、杭育"一喊,前后脚步就齐整了。大墓打开后,已不见骨殖,陪葬品也没见。我只见过一柱清朝的墓里还有衣物等。如果碰到少数骨殖还没腐烂的,有人会找来一只破甏将骨殖收入其中,就地挖个洞重新埋起来。也有社员为了自家造房子悄悄去拆无主坟的。找到一柱坟后,全家老小齐动员,利用早晚出工收工前后的时间上山挑石头、砖头,堆在自家屋门口,生产队也眼开眼闭,任他所为。

至今,我们老家周边仍然可以见到平坟头留下的痕迹。那座回家必经的桥,桥墩里砌有一块刻着"某某先生之墓"的墓碑,那个被遗弃在机埠旁的用棺木做的稻桶,都是历史的见证。

斫柴

实行封山育林后,本来燃料就紧张的农户更是雪上加霜,要吃要喝的,总不至于把手脚当柴烧吧。但农民自有办法,上面不让上山,就偷偷上山,自己生产队管得严,就偷别的生产队,好在大家都在偷,看到了也无人举报。

砍柴,我们称斫柴。斫柴一般在秋冬季进行。经过霜冻,树叶发黄发红,水分减少,斫下的柴可以少晒甚至不晒。春夏季是不能斫柴的,柴树刚长出新叶和新枝,斫了一棵相当于秋后的两棵、三棵,而且这时斫下的柴不经烧。如果你在这个季节斫柴,被人发现,就会招来一顿臭骂。因为是偷,所以一般在傍晚出发,四五个人结伴而行,每人肩上扛一条扁担、几根绳子,手拿斫柴刀,要走很远的路,爬很高的山,选择不会被人发现的山坡山岙下手。

柴的种类很多,有茅草柴、硬梗柴、实柴、刺柴等,大家比较喜欢的是硬梗柴和实柴,原因是这两种柴燃烧的时间长,而且燃尽后,留下的火灰放在火缸里仍然可以保温很长时间。另一个原因是这两种柴没刺,斫时不会扎手。硬梗柴其实是小乔木,如果任其自然生长,很可能长成大树,实柴以橡树等灌木为主,叶子比较大,很容易燃烧。最难斫的是刺柴,斫时要戴正面贴着橡胶的手套,但手脚仍经常会被刺拉开一条条血痕。

　　山上的柴可不是连片生长的,它们像人头上生瘌痢一样,多数是一丛丛,一撮撮,或稀稀拉拉的东一根,西一根。斫柴时要不断地寻找,斫一窠放一堆,看看差不多了,再收拢来,砍一根茅藤做绳捆绑起来。捆柴有一点技巧:把两条茅藤一上一下铺在地上,上面先放比较长的柴,中间放短的,再放长的,然后把茅藤两边一拉,扎紧打结,竖起来蹾一蹾,就是一捆整整齐齐的柴了。我们每人每次基本都会斫六捆柴,三捆一头,挑下山回家。

　　俗话说:上山容易下山难。挑着担子走山路,又是晚上,的确很吃力。一脚高一脚低,走一段路把担子横过来换一个肩膀,实在累了,就卸下担子,在路旁休息一会儿。回到家已经浑身是汗,于是把柴担重重一甩,瘫坐在石凳上,叫一声"累死了"。但想到家里有柴烧了,心里还是蛮开心的。

救火

救火，其实应该叫灭火。农村砖木结构的老房子多，好多二层楼的房子，地板、屋柱、橼子、板壁等都是木头做的，甚至连灶间也是木结构，一不小心，很容易引起火灾。

我亲眼见到的一次火灾，发生在离我们家500多米的一座老宅里，这座老宅的旁边连着的都是清末民国初建造的大房子，两层楼，外有天井，房内金漆黄亮，住的人不算多，多数房间都是空着的，如果火势蔓延，损失会很惨重。

据说这次火灾的源头是灶间的土灶。那天晚上主人正用木柴烧饭，见火很旺，本人跑到外面不知干什么去了，结果火烧断了木柴，带火的木柴滑落到地上，点燃了灶洞旁放着的柴草，火势一下子上来了，蹿到了梁上。待主人发现，灶间已经浓烟滚滚，连忙用面盆里的水去扑洒，已经杯水车薪，无济于事了。主人这才清醒过来，奔到外面，拼命叫喊："着火了，着火了！"此时火苗已经蹿上屋顶，靠自己是扑不灭了。听到喊声的左邻右舍急忙赶了过来，有的往水缸里舀水往火里泼，有的帮主人转移家具，有的干脆爬到屋顶掀瓦片，想拆出一条隔火带。其中有一人跑向大队部，打电话给公社消防队，请求支援。

当时大队并未配备救火车,只有公社里有一台,好在公社离大队只有两里路,接到火警电话后,消防队马上出动,十五分钟就赶到了。当然救火车不是开着来的,而是四个人抬着跑步过来的。这种老式的消防车靠压力抽水,左右两边各有一根杠杆,两人一边,交替下压,水就抽上来了。只见几个人一边放下救火车,一边迅速把帆布管子扔进旁边小河里,另一头的喷水管也随即拉到了火灾现场。随着众人拼命地上下压抬,一股水柱冲天而出,对准那烧得越来越旺的火势中心一阵猛喷,火势顿时被压了下去,火场里冒出了更多浓烟。看上去明火被遏止了,但暗火仍在燃烧。为了防止火势蔓延到隔壁的房子,有人建议把着火的房子拉倒,众人都认为可行,于是找来一条粗麻绳甩向屋顶,有人接住了麻绳,拴在横梁上,待屋顶的人一撤退,下面众人使劲一拉,"哗啦啦"整个屋顶坍塌了下来,又是一阵水柱猛扑,火魔终于被降伏了。火被扑灭了,主人家却损失惨重,好在人没有伤亡,算是不幸中的大幸了。看着主人欲哭无泪的样子,众人都十分同情,纷纷动手连夜清理火场,邻居们说着宽心的话,并热情邀请他们先到隔壁家住上几天过渡。几天后,从公社批了点木材,生产队社员们自发帮忙,便在原地上盖起了简易住房。

其实,过去农村还是比较重视防火的,墙上贴有"防偷防盗防火烛"的标语,家里七石缸的水除了用于饮用外,另一个功能是救火。每个村庄都有一个敲更人,在人们入睡前,他会绕着村庄,一边敲着锣,一边大声喊"当心火烛,当心火烛",提醒人们检查可能引起火灾的隐患,并及时消除。由于防范比较到位,火灾的概率总体很低,一个村庄大概就是四五年发生一次吧。但无论如何,火灾令人痛心,最好一次也不要发生,永远也不要发生。

赤脚医生

赤脚医生就是农村卫生员,由于不脱离农业生产,只是在病人需要的时候才从田里回到卫生室进行诊疗,故称"赤脚医生"。

赤脚医生上岗前由上级卫生部门组织培训和实习,掌握基本的医疗知识和药理知识,生产大队腾出一间房子布置成卫生室,并配置必需的桌柜和简易床铺。针筒针头及普通的药品、耗材,都由大队出钱购买。找赤脚医生看的多数是跌打损伤、咳嗽感冒、手脚皮肤溃烂、疮疖虫毒等常见病、多发病。对这些疾病,赤脚医生都能应付得了。赤脚医生们刻苦钻研,西医中医一起学,外科内科儿科妇科都接触,少数的还成了某一方面的土专家。

当年我哥就是大队里的赤脚医生,又是生产队的全劳力。白天干农活,晚上经常有人把他叫去看病,要么是手脚划破了要包扎,要么是发热了要配药打针,忙得不亦乐乎。他经常背回家的药箱里装满了红药水、紫药水、酒精、碘酒、人丹、止痛片、酵母片等常用药,还有一盒银针及纱布、棉球之类的包扎用品。一只铝盒子也常带回家,里面装着用过的针筒针头。消毒时,在灶间门口的水缸里舀一瓢水,倒入铝盒里,搁在煤球炉上煮上半个小时。打银针也是他的特长之一，遇到有人扭了腰，蹩了脚，他便拿出银针，在病人相关的穴位上扎下去，然后捏着针柄不断捻动，边问病人有没有酸麻的感觉，十几分钟后，病人觉得舒服点了，再把银针拔出收好。当然"病来如山倒，病去如抽丝"，得了筋骨的毛病是不可能一次治好的，他会不厌其烦地每天给人家扎针，病人也相信他能治好病。

为了普及中草药知识，我哥还在卫生室门口开出一块土地，自己上山挖了好多可以入药的野草种在那里，插上写着植物名字的木牌子，供大家鉴别。比如鱼腥草，能清热解毒，排痈消肿；半边莲，能治毒蛇咬伤；木芙蓉花，能治肺热咳嗽，水火烫伤；白毛夏枯草，能止咳祛痰平喘等等。最让人好奇的是含羞草，由于叶子对热和光较敏感，受到外力触碰会立即闭合，所以我们经常用手指轻轻地点它一下，它的叶子马上就像蔫了一样，合起来垂下去了。其实含羞草也是一种草药，能清热利尿、化痰止咳、安神止痛，可用于感冒、小儿高热、支气管炎、胃炎、肠炎等。这个"百花园"着实热闹了一阵子，经常有人来观看，还围着我哥问这问那的，但半年以后，由于疏于管理，便逐渐荒芜了。

赤脚医生制度是中国农民的伟大创造，有效地改变了农村缺医少药的状况。花钱不多，却实实在在为农民提供了十分便捷的基本医疗服务，至今一些上了年纪的农民有了病痛还会去找当年的赤脚医生。现在，城乡医疗保障体系已经逐步健全，就医条件有了很大改善。但农民还是觉得看病难看病贵。我想，赤脚医生制度不在了，但赤脚医生那种不计报酬、送医到户头的精神还是值得继承和弘扬的。

做水库

"农业学大寨"是当时党中央、毛主席的号召。学大寨学什么？平原地区就是大搞农田水利建设，平整土地，整修沟渠，开荒造田，农民们一年四季忙得不亦乐乎，但这还是小打小闹，最繁重的是跨区域的大型水利工程建设。

人民公社实行"队为基础，三级所有"的经营制度。按照这个制度，生产队的社员干好自己队内的活就可以了。但事实并非如此，公社和大队经常平调生产队的资产与劳力，只要上级政府有任务下达，公社会不折不扣地执行，苦的是农民。最典型的是做水库。"文革"期间，各地造了不少大中小水库，地方政府在这方面的财政投资很少，主要是靠农民投工投劳来完成。上级政府下达任务给公社，公社再下达给生产大队，大队下达给生产队，生产队落实到社员头上。任务层层加码，指令性计划必须完成。生产队接到任务后，要马上派工去投劳。

二十世纪七十年代初，宁波郊区要在慈城与镇海汶溪交界处造一个中型水库，所在的农村叫毛力，这个水库便命名为"毛力水库"，设计库容在1000万立方米左右。造水库的主体工程是大坝。当时的大坝都是泥坝，即使是泥坝也要保证安全，不能马虎。做水库就是围绕这个泥坝展开的，筑坝是百年大计，水利部门把关很严，不仅要有合格的泥土，更注重堆土时施工的质量，以杜绝后患。

毛力水库投劳，我去过两次。第一次，生产队头天晚上接到的任务，第二天早上要去挑黄泥，队长晚上八点以后通知到户。第二天凌晨两点多，我们就起床了，男女劳力全部出发，每个人肩上都挑着一副空土箕。当时刚好是秋末冬初，我们快步走在路上，露水浸润着双脚，月光下，人影浮动，影射田野，一会儿几个人影叠在一起，一会儿又明显地看出有某个高个子在田间飘动，很诡异。由于大家都处于瞌睡状态，很少有人说话，一路上只有脚步声，单调而紧张。快步走了大概一个半小时，到毛力水库建设指挥部。指挥部同志分配我们生产队在大坝附近约一公里的地方挑黄泥。七八十个劳力热火朝天地干了起来，也不知挑了多少担，也不知流了多少汗，一直干到中午十一点，才通知我们歇手。这一仗下来，大家都是又累又饿，坐在地上不会动了。这么苦的活，按现在至少要发双倍工资吧，那时一分钱都没有，只在你的工分簿上记上一个数字。

除了"大呼隆"投劳外，公社还要派工下来，要求每周有一定数量的全劳力在水库干活。有幸我也被轮上一次，那是我第二次去毛力水库干活。一起去的有六名劳力，临行前，队长关照说，这次去主要是拉黄泥车，每天拉六车算完成任务，吃住在工棚，每天补助两斤米。我们都知道这是苦差事，但不得不服从。

到了水库后，任务果然是拉车，每人一辆手拉车，从离大坝四公里远的山岙里装上满满一车黄泥，分量大概有一吨左右，拉到大坝卸下，一天来回跑六趟。为了完成任务,我们都拼了命地拉,最困难的是上坡,那么重的车,实在是拉不动,如果刚好几辆车距离不远,大家还可以相互帮助推一下,最难受的是一个人拉车上坡,用尽吃奶的力气也拉不上来,叫天天不应,叫地地不灵,真苦啊。

  毛力水库建成了,慈城东北方向的农田可以旱涝保丰收了。但对我们生产队有什么作用呢?其实一点都不搭界,可这是大局也是任务,大家都无话可说。现在去看毛力水库,碧波荡漾,大坝巍峨,依然灌溉着千亩良田,心里很舒坦很自豪,因为曾经在这里有过贡献。

土郎中

农村里有不少在一定区域范围内负有盛名的土郎中,他们没有进过正规的医学院校,但依靠祖传或自己长期的实践积累,成为医治某些疑难杂症的行家高手,深受百姓的信任和敬重。

据我了解,在我家乡方圆五十里范围内,就有几个土郎中,专门为人治疗疔疮疥癣、小儿惊厥、跌打损伤、腰椎间盘突出、毒蛇咬伤等疾病和意外伤害。他们的医术以祖传为主,治疗方法以针灸、草药外敷为主,医理估计是中医的阴阳调和和经络学说。这些土郎中给人治病没有像西医那么复杂,一番望闻问切后,就直接下手了。该针灸的对准穴位直接下针,该敷药的一贴膏药直接贴了上去,该开刀破脓的不打麻药即手起刀落。别看他们方法简单,疗效却出奇的好,令人不得不佩服。

我高中毕业的第二年夏天,天气特别闷热,参加了几天夏收夏种劳动后,右手肘上、右腿膝盖上长了疮。开始时只有小小红红的几个硬块,擦了点碘酒之类的外用药水,以为是蚊子叮咬所致,并不在意。两天以后可不得了了,肿胀的范围扩大到乒乓球大小,疮的顶端出现了脓包,又痒又痛,而且痛感呈辐射状。内行人一看,说我生疔疮了,要找人去挑一挑(针戳)。当时我哥是赤脚医生,但他也没办法治疗。后来打听到十里地外的一个村庄里有一位老太太专治疗疮和婴儿惊厥的。我哥借了一辆自行车,驮着我直奔而去。那老人住在一间低矮的破房子里,看了看我手上、腿上的疮,也没说一句话,便拿出一枚圆珠笔笔芯粗细、又像针又像刀的针刀,从我的头顶正中开始一下下地挑扎,直到脚底,疼得我眼泪直流,不停地叫喊。浑身上下一遍扎下来,我已经大汗淋漓,差不多虚脱了。扎完后,她又用这把刀挑开疔疮,使劲地把里面的脓往外挤,并用黄草纸揩干净,最后贴上膏药,治疗就完成了。

说来奇怪,经她这么一折腾,回家养了几天,疮脚渐渐消肿,刀口也结了痂,不久就痊愈了。我在想,老太太的医术灵光,关键在于辨证施治,从根本上考虑症结所在,把经脉先挑通,使郁结在病灶的气血通畅了,疔疮瘀肿就迅速消退了。

至今农村仍然有着这样的土郎中,他们是民间高手,是难得的人才,应当好好珍惜和保护,为他们提供一定的平台,发挥他们的一技之长,以造福百姓。

代销店

二十世纪五十年代后期，合作社运动后，农村普遍建立了三个合作经济组织：供销合作——供销社；信用合作——信用社；生产合作——生产合作社。人民公社化以后，生产合作社演化成生产大队、生产队。供销社、信用社则蓬勃发展，形成了全国性的体系，尤其是供销社，网络遍布城乡，一直延伸到生产大队。供销的物资包括农业生产资料、生活用品等，还代表政府收购除粮食以外的几乎所有农副产品。供销社成为当时计划经济体制下农村商品流通的主渠道，与农民的生产生活息息相关。

供销社延伸到生产大队的基层店叫代销店，商品都是从公社供销社铺货过来的。代销店没有独立核算的资格，每个月底都要盘一次货，对照收进的钱和票，确定盈亏，盈了要上交，亏了一般由售货员自掏腰包补上。代销店以销为主，兼顾收购。除油盐酱醋以外，店里还摆放毛巾、蛤蜊油、香烟、牙膏牙刷、铅笔橡皮、针线、信纸信封、肥皂等生活必需品和学习用品，以及小糖、甜饼、香糕之类的小食品。其中烟、酒、肥皂等是凭票限量供应的，偶尔上面会分配一些带鱼、小黄鱼之类的海产品供应社员，但也要凭购货券购买。

代销店头天晚上发出通知：明天供应带鱼。第二天一早，小店门前就排起了长队。如果一户人家能买到两三斤带鱼，那可高兴了。我印象比较深的是排队购买大黄鱼骨头。大黄鱼已经被城里的加工厂刮走了肉，剩下的是一个头和一条脊椎骨，当然上面还有不少鱼肉残留着。供应这种加工后的副产品是不要凭票的，价格也只有八九分一斤。大家为了尝尝鱼腥味，都想多买点，可数量有限，只能排队，每人称上三四斤已经是上上大吉了。拿回家或加咸菜做汤，或红烧，味道还真不错。代销店也收购鸡蛋、鸭蛋，积到一定数量送到公社供销社结算。

代销店门前一般搭有凉棚，里面有石条凳，是空闲时农民聚会说闲话的地方，议论时政、评论某个干部以至于传播逸闻趣事、风流韵事、家长里短，这里是好去处。代销店的店员也变成了消息灵通人士。可这里往往也是惹是生非的地方，一些无中生有、挑拨是非的话也会从这里传出去。所以在这种场合听到的话，最好能一只耳朵进一只耳朵出，做一个无心人。

代销店的存在沟通了城乡、工农，方便了农民。但随着供销社改制，现在代销店已经很少见了，代之兴起的是私营的农村超市、杂货店，商品琳琅满目，而且再也不用凭票购买了。

理发店

过去，农村没有理发店，男人们理发要等剃头挑子上门。所谓"剃头挑子一头热"，描述的就是剃头师傅挑着一副担子走村入户为人家剃头的情景。这副担子，一头是工具箱，上面装着一面镜子，工具箱可以活动，放在地上就变成了一把椅子；另一头是一只炉子，上面烧水，所以是一头热。

担子挑到村落，剃头师傅叫唤几声，便有人前来理发，人多时还要在旁等候。剃头师傅的工作还包括刮胡子、挖耳屎，给一个人理发起码要半个小时。客人理完发照照镜子，面目焕然一新，浑身舒泰，然后付钱走人。这样的剃头挑子一两个月来一次，基本能适应人们头发生长的速度。

女人们头发长了也要剪，但一般不靠剃头师傅，而是大家相互帮着剪。母亲给女儿剪，女儿帮着妈妈剪，邻舍隔壁相互剪。当时也没有什么烫、卷、染等美发的概念，剪完了用热水洗上一洗就完事了。讲究一点的女人，会去摘一些槿树叶，将揉碎过滤后黏黏稠稠的汁液，放入热水中洗头。槿树叶中含有皂素——肥皂草甙，可以起到清洁的作用，能去除头部的油污和皮屑，所以洗过后头发滑润光泽，还散发出淡淡的清香。

我们大队有固定的理发店是在1975年前后,生产队长的儿子拜了一位理发师为师,学了两年后,自立门户,在轧米厂旁边租了一间小房子,略微装修一下,购置了必要的理发设备和工具后,理发店开张了。从此,我们大队男女老少理发就方便多了。

说是理发店,也没有个店的样子,就剃头郎一个人,剃、剪、洗一条龙服务。设施也很简单,一把转椅,可高可低,可靠背可躺下,一只七石缸,房子最里边搭建了一台灶,用来烧水,灶外面砌了一口水斗,水斗上面吊一只木桶,木桶靠近底部的侧面凿了一个洞,安装上龙头,并套着一条皮管子,可以使热水淋到洗发者的头上。对着转椅的墙上贴着一面镜子,镜子旁边挂着用传动带做成的刮刀布。刮刀布的作用好比磨刀石,刮刀有点钝了,在布上面正反两边刮几下,就又锋利无比了。由于刮刀布被反复使用,上面积了厚厚一层油泥,十分肮脏。我们那边大人见小孩子衣服很脏了,就会说:你这人"介泥腥",衣服穿得像刮刀布。

由于只有一个人,剃头郎总是很忙,好在来理发的都会帮帮忙,如添柴烧水,扫扫地,提几桶水等等,平时基本上能应付过来,有些季节也不是一天到晚有生意,正好帮家里干点活。最忙的是过年之前四五天,因为每个人都觉得过年了,理个发是必需的,都凑到这个时候来理,所以那几天剃头郎每天都要干到晚上十一二点。

理发店也是人们集聚的地方。空闲时,总有一些人在这里抽烟聊天,有的在店里面拿着梳子梳梳头,有的趴在窗口一边看别人理发,一边评头论足讲笑话,也有的干脆坐在灶门前一根一根地往炉膛里添柴火,把火烧得旺旺的。

几十年过去了,当初的剃头郎已经白发苍苍,那个理发店也不见了踪影。好在现在到处都是理发店、美发店,农民们也不用担心自己理不上发了。

货郎担

废旧物资回收在农村一直存在，是一种很好的习俗。我们小时候，村子里一响起"破里破碎""鸡毛兑糖"的吆喝，伴随"叮嘣叮嘣"的拨浪鼓声，人们就知道货郎担来了。

货郎担挑着一担竹箩筐，箩筐是空的，上面分别搁着一只与箩筐尺寸相配的竹圆盘，其中一只圆盘上放着线脑针头、木梳、头发夹、橡皮筋、小镜子、铅笔之类的日常生活用品、文化用品；另一只圆盘放的是整整一大块麦芽糖，上面用一张纱布盖着。

听到吆喝声以后，家里的老人和小孩就会去找原先藏着的废旧物品，比较多的品种有：梳头落下卷成一团的头发，宰杀家禽牲畜后留下的鸡毛、鸭毛、猪毛、鸡胗皮、破旧的胶鞋，废纸盒，牙膏壳，旧铜烂铁等，凡是货郎愿意收的家里不能用的东西，都会拿出来。货郎拿到这些东西后，会先掂量一下，心里面估估价，然后分别兑出实物。比如，一团女人的头发兑一枚缝衣针，一支牙膏壳兑一支铅笔，一块鸡胗皮兑几只发夹……

小孩子喜欢的当然是糖。拿来一捧鸡毛给货郎，只见他掀开纱布，一手拿一把刮刀，一手拿一把木榔头，刀在麦芽糖的边缘一插，用榔头轻轻地敲打刀背，"笃笃"几下，一块两个手指大小的麦芽糖就敲下来了。小孩说"还不够"，货郎会再敲下一块给他。这就是著名的"鸡毛兑糖"。麦芽糖，我们叫"凝糖"，由麦芽熬制，看上去酥脆，吃到嘴里很甜，但要粘牙齿。八九岁的孩子换牙时，长辈们会开玩笑：你牙齿要脱落了，自己拔很痛，要么用凝糖粘一下，又可以吃糖又不会痛，多好。事实上，还真有摇动的牙齿被糖粘下来的。

两三个村庄跑下来，货郎挑着的两只空箩筐已经塞得满满的了，上面可兑换的小商品也所剩无几了。

货郎担的存在实在是一件利国利民的大好事，农民把本来要废弃的物品易货给货郎，得到了自己想要的东西；货郎以小商品换废品，把废品又出售给收购站或工厂，赚取了差价；对社会来说，变废为宝，循环利用，节约了资源与成本，可谓一举多得。可惜现在农村已经看不到货郎担了，农民家中好多可以再利用的废品都白白扔掉了。

菜 船

每年隆冬季节,我们村庄前的河道上,经常会驶来装满蔬菜、甘蔗的小木船。小木船两头尖尖,船舱靠近船头的部位罩着半个圆筒形的竹篷,里面放着被子、小凳子、碗筷之类的生活用品,船头还放着一台缸灶,可想而知,船主好几天吃住都在船上。

船主说话带着明显的外地口音,我们一听就知道他们是三北慈溪人,所谓"三北",就是宁波下属的余姚、慈溪、镇海三县北部,行政区域调整时统一划归慈溪管辖。三北地区是宁波的棉花主产区,土地都是海涂围垦出来的,土质疏松,比较肥沃,水源不足,适宜于种植棉花。棉区农民吃的粮食是国家定量供应的,价格比城市居民要高不少,而且常常不够吃,需要自己偷偷想办法解决。棉区又是滩涂平原,见不到一座山,农民造房子连一块石头也找不到,也需要外出找寻。但棉区也有优势,就是计划外的土地资源多,农民生产的自主性比稻区高些。所以他们除棉花之外,可以种些蔬菜、瓜果之类的经济作物。收获以后,就一船船往外运,用这些农产品换回他们需要的大米、木头、砖头等生活资料和建筑材料。

船靠岸后，系好缆绳，船主便叫开了："雪里蕻、荠菜(大白菜)、甘蔗……"一遍遍地喊。岸上的人听到后，便三三两两地走过来，七嘴八舌地问怎么兑换。船主回答："五斤米一百斤雪里蕻，六斤米二十棵荠菜，两斤米一捆甘蔗。"接着便是一番讨价还价。敲定了兑换标准，大家便回家拿米，根据各自的需要兑换不同的物品。我家兄弟姐妹多，母亲除了兑换雪里蕻腌咸菜外，总要兑一两捆甘蔗让我们解馋。

看看兑换的米已经有一定数量，船主还会问："你们有没有木头、砖头？如果有也可以拿来换。"少数家里有用不着的木头也会扛一根过来，或搬一堆砖过来，各取所需，双方满意。

在计划经济年代，农民之间的这种互通有无，易货贸易，一定程度上满足了农民的基本生活需求，是计划外的有益补充。因此政府和有关方面也是睁一只眼闭一只眼，对此基本上处于放任状态。

卖泥螺

农村没有菜市场,农民吃菜除了自己生产和代销店供应外,另有一部分是从沿村叫卖的商贩那里购买的。村头的石板路上,经常可以看到商贩挑着担扯着嗓子叫卖的身影,其中叫卖最多的是腌制的海产品。宁波靠海,大多数人口味偏重,喜欢吃得咸一点。所以,什么虾子酱、蟹子酱、泥螺等都很行俏。虾子酱、蟹子酱也不全是真材实料,事实上也没有这么多的虾子、蟹子,卖货的早已在里面掺进了豆腐渣之类的添加物,但肉眼是看不出来的。我们买回家后,要么舀一调羹与鸡蛋打在一起,放蛋汤,不用放盐放味精,咸淡正好,味道鲜美;要么舀上半碗,加点水蒸着吃,只要筷子头蘸上一点,就可以下一大口饭。

给人印象最深的是卖泥螺的,那人挑着两只木桶,泥螺大概各有大半桶。泥螺是浸在盐水里的,泥螺有涎液,盐渍以后,体液外流,所以泥螺露呈土黄色,又有点黏糊糊。买卖时,要用勺子一勺勺舀,为了减少一些液体,我们会在舀时沥上几分钟,然后才过秤。但在这种担子上买的泥螺很不干净。听人说,泥螺腌得淡,容易"翻白"变质,个别不良商贩看到泥螺有"翻白"的迹象,会偷偷在没有人看到的角落,放下担子,往木桶里撒上一泡尿,以补充盐分,好在"眼不见为净"。但无论如何,吃之前,要用冷开水洗上几遍,然后加老酒、蒜末。如果还是太咸,还要加点水。

有些泥螺有泥囊,我们吃的时候牙齿一叩自然就吐出来了,但内陆人不行,没有这种技巧,容易吃下去,弄不好就会拉肚子。所以,泥螺这种东西不是海边人还是不吃为好。

补碗补镬

我们小时候，家里很少购置日常生活用品，碗盏、水缸、大大小小的甏罐基本上是上一辈传下来的，即使坏了也就修修补补，然后继续使用。与之相适应的是，过去村庄里经常会出现一些专业搞修补的匠人，如铜匠、补镬补缸补碗匠，他们肩挑工具箱，口喊"打火盅""补镬补碗"，招揽生意。一旦有人招呼，他们便放下担子，坐在你家门口开始工作。那时修补陶瓷制品是没有强力胶之类的化学黏合剂的，全凭钉铆技术完成。

先说说补碗。吃饭、洗漱时不小心打破一只碗是常有的事，只要不是摔得粉末烂碎，是不舍得扔掉的，等待补碗匠过来时修复。补碗的工具比较简单，一把钻子，一把小榔头，一盒铜制的蚂蟥襻。补碗匠接过主人递过来的破碗片，一块块拼接起来，用绳子缚住，恢复原样。然后夹在两腿之间，拿来钻子开始钻孔。这种钻子，上面有一根短短的木柄，木柄上下端有两个小孔，里面穿进一条绳子，绳子上又连接着一根拉杆，木柄的下端装有一只钻头，大概是金刚钻吧，俗语不是说"没有金刚钻，不揽瓷器活"嘛。钻孔时，绳子缠住木柄，拉杆一拉，下面的钻头就转了起来，不一会儿碗片上就出现一个小小的孔。沿着裂缝两边,打上一排孔,接着便是钉蚂蟥襻。这种小铜襻样子很像蚂蟥,功能也像蚂蟥吸血一样,嘴和尾牢牢吸住寄主,甩都甩不掉。蚂蟥襻落孔后,再用小榔头轻轻敲几下加以固定。不一会儿那只破碗外围已经钉上了几排蚂蟥襻,把它浮在水面上,滴水不漏。

补镬相对复杂点。镬是生铁制成的,裂开了很难修补,只能另买一只;破镬其实只是镬底或中间部位有一个小洞,烧饭烧菜时,水会一滴滴漏进灶洞里。这种小洞自己是补不了的,扔了又可惜,只能盼着补镬匠的到来。补镬匠挑的担子里,装有一只陶炉,一台木质小风箱,还有一些生铁块、焦炭之类的材料、燃料,当然少不了敲敲打打的工具。把破镬的背面对着太阳,见到漏光处,用粉笔画上圈,或者把镬按在水里,看哪一处在渗水,也就能找到漏洞了。因为漏洞太小,补镬匠要用凿子将它适当扩大,以便于修补。第二步便是点燃陶炉。将陶炉的进风口与风箱的出风管连接,在陶炉里放入木块,点燃吹旺,再加木炭、焦炭,同时放上坩埚,在坩埚里放入一块生铁。随着陶炉内温度升高,坩埚发红,生铁熔化。这时补镬匠提起铁镬,将那个漏洞一面放在陶炉上,把其周边也烧红了,并在漏洞正面贴上一块沾着铁沙的耐火土。然后把铁镬覆在地上,马上用铁钳钳出坩埚,将铁水倒在漏洞上,漏洞立即被补上了。待到铁水冷却下来,补镬的还要将补丁不平处用铁砂皮磨平,特别是正面,要磨到手摸上去平滑了才算彻底补好。

半个多世纪过去了,这些能工巧匠已经无影无踪,流传了几百年上千年的手艺也逐渐失传了。但我觉得,这些祖宗的东西即使今后用不上了,也要把它们留在文字里、档案里,让子孙后代永远记得。

掏河

冬季,是农闲季节,但农闲不闲,上面号召农村大搞农田水利建设。疏浚河道、清理淤泥是当时农民的一项重要任务。

挖河,我们叫掏河。掏河按河道的流域,由不同的基层层级组织。涉及几个生产大队的大河由公社为主组织,生产大队范围内的小河道由本大队自行组织,不管谁组织,出工出力的都是生产队的社员。

疏浚一条河道之前,上级要先丈量河的长度,然后按生产队的人口数和耕地面积一段一段分配到队,并每间隔一定距离就筑一条泥坝,用潜水泵将水抽干,顺便把河里的鱼也抓捕殆尽。

接到任务后,生产队会通知各家各户什么时候集中出发,带什么工具,注意什么事项。那时气候变暖没有现在这么明显,12月份以后气温基本在零度以下,社员们也没有什么高帮雨鞋,只有一双塑胶底帆布面的解放鞋,走到河边,看到河床里的积水还结着薄薄的冰,一股寒意便袭上心头,嘴里不由自主地发出"咝咝"的声音。队长见此便鼓励大家:"别看着冷,做起来就不冷了,大家都下来吧。"众人无奈,只得卷起裤管,脱掉鞋袜下去了。一脚踏进淤泥里,那刺骨的冷啊,脚都麻木了,人瑟瑟发抖。

　　掏河的基本工具是锹、铲、桶,掏河的队员各有分工。掏时,几十个人分成四五组,两个人在最前面,负责捞泥,后面排成一排,一块块、一桶桶向岸上传递,扔在河塘或河塘边的水田上。用木桶把淤泥清理干净后,还要继续往下挖几米。前面的两个人,一个人用锹往下切,一个人捧起来向上传递。传的时候有的组用手,也有用滑勺的,滑勺像喝汤用的汤匙,一条长长的木柄,端部是铲,泥块放入滑勺以后,前一个人挥手向上扔,后一个人接住,再往上扔,接二连三,直到最后一个人将河泥扔在塘岸上,这样的接龙是要有技巧的,而且必须全神贯注,否则很容易掉下来,溅得别人一身泥。往下深挖时,还要防止塌方,办法就是先从上面挖,从上到下有梯状结构,像台阶一样,一直到河心。

　　中午时分,队长说:收工吃饭。早有人把饭桶、菜汤拉过来了,大家洗脚洗手,找一处干净的地方,拖来几把残存的稻草,席地而坐,晒着太阳开始就餐。一个生产队一个冬季一般要完成两三百米的掏河任务。每个社员都要苦干四五天。每天回到家,大家不仅一身泥水,而且都筋疲力尽了。

摆渡

我们家南北两面各有一条江，南边是余姚江的干流，我们叫前江；北边是余姚江的支流，官名为慈江，我们叫后江。两江的对面分别有两个重要的城镇：大隐和慈城。前江南边属余姚地界，越过一座山岭，便是大隐，大隐是进入四明山的门户之一，是山货的集散地。逢市日，这里的街上人山人海，生意兴隆；后江的北边是宁波市郊的慈城，慈城历史悠久，交通发达，是姚东、慈北及镇海等地人流物流的交汇处。我们出售农产品，购置竹木农具，一般选择去大隐，而采购生活资料则会去慈城。

两地距我们村庄大概都是十几里路。那时交通很不方便，不仅没有像样的公路，江河上桥也很少。为了方便行人，有人在江岸边道路的末端设置了渡口，一条小船载着人们来往于江的两岸。去大隐的渡口叫城山渡，去慈城的渡口叫新渡。

上城里，我们都有点兴奋，清晨四点多就出发了，大概走上半小时到达渡口，这时渡口还静悄悄的，我们坐在船埠头上，等待船夫到来。船夫就住在渡口的小石屋里，听到外面有了人声，便起床扛着船橹上了船，然后招呼大家也上船。渡船是一条木船,吨位不大,能乘二十几个人,船舱里没有座位,大家都是站着的,也有人会坐在船舷上。如果有挑担的上船,箩筐之类必须放在船头或船尾。待大家站稳了,船夫便开始收钱,一般一个人3分,挑担的5分。收完钱,船夫交代一声"大家站稳了",便解开缆绳,用船篙一撑,船便离了岸,随着"吱呀吱呀"的摇橹声,船向对岸驶去,江面上荡漾起层层涟漪。大概一刻钟后,便到了对岸埠头。系好缆绳,大家纷纷从船头跳上岸,继续自己的行程。

  现在交通设施不断完善,渡口越来越少了。只有那船埠头的青石板,历尽岁月的沧桑,仍然静静地躺在那儿,记录着摆渡人的脚印和说也说不完的故事。

看电影

看电影,对于当时文化生活十分贫乏的农村来说,无疑是每个人心中的期盼。当然,给农民放电影的目的并不是单纯为了丰富农村的文化生活,更多的是为了进行革命传统教育和阶级斗争教育。"文化大革命"时,我们公社组建了电影放映队,成员有五六个人,也是不给工资,只记工分的。

当时影片拍得少,而且好多原先拍的片子因政治原因被禁放,所以放到农村的电影更是少得可怜,农民能三四个月看一场电影已经是上上大吉了。轮到我们大队可以放电影了,放映队会提早一天通知大队干部,再由大队通知生产队,生产队通知到户。放映地点选择在大队部所在的那个生产队的晒谷场上,早有人在场地的边缘竖起了两根长竹竿,用于吊挂银幕。当天下午两三点钟,在家的小孩、大人就会搬去凳子、椅子放在场地中央,有些则放了一块砖头,以示已经占了位置。

天渐渐暗了下来,大家三三两两朝着同一地点集中,一会儿工夫晒谷场已经人声鼎沸,坐的、站的黑压压一大批,实在挤不下了,便有不少人站在银幕的背面。七点左右,电影开始放映,全场一下子安静了下来。只见放映机摆在中间的位置上,一束光线直射银幕,不少小虫子在光束里面飞舞,画面上不时会出现一个个的小黑点。正当大家沉浸在影片情景里时,突然放映中断了,原来是一盒片子放完了,要换片,需要等待三五分钟。但有时等待的时间特别长,放映员说,另外一个大队也在同时播放,跑片的还没把片子送到,请大家少安毋躁。也就等了一刻钟,跑片的到了,影片便接着往下放了。这种露天电影画质、音质是可想而知的,但大家仍然兴致勃勃,不时会被影片中的情节所感染,有时欢笑,有时流泪,有时愤怒,有时叹气,农民的质朴感情在电影场上得到了充分的宣泄。

尽管放映的场次不多,但也让我们欣赏到了不少经典电影,如《地道战》《地雷战》《英雄儿女》《南征北战》《小兵张嘎》《列宁在1918》等,至今我还能清晰地回忆起这些影片的精彩片段来。

小电影

没有大电影看,我们就看小电影。

那时农村文艺活动实在太少,有人就针对小孩子的好奇心,做起了小电影生意。经常会有人挑着两把高脚木椅子,上面各放五六只旧式照相机模样的盒子,走进村头,招揽小朋友们观看。这种盒子边上有一转钮,中间有一个安装着一块圆玻璃的孔,像照相机的镜头,用来观看。孔内可以看到各色各样的图片,图片的内容有风景,有战争场面,有生活情景,上一张与下一张之间有连贯性,好像连环画一样。观看时,一只眼睛闭起,一只眼睛贴着镜头,一只手捧着盒子,另一只手转动转钮。由于安装了镜子玻璃,看进去里面的空间很大,而且有立体感,尽管画面不会动,但也栩栩如生。随着转钮的滚动,画面不停切换,一百多张图片看下来,就好像看了一场电影。

看这种小电影是要付钱的,看一次要5分钱。见小电影担摆好了,我就会向母亲要钱,一般母亲是不会给的。要知道当时一根油条卖3分,一斤小白菜只卖5分。用5分钱看一次小电影,母亲觉得不值得。只有被我缠得没有办法了,她才会很心痛地、不高兴地拿出钱来。钱到手我便兴高采烈,迫不及待奔到村头,拿起一个盒子,也不管什么内容就看了起来。我记得当时看过的小电影有《穆桂英挂帅》《隋唐演义》《小人国》等,印象至今还在。

小电影担,还兼卖卡通纸,我们叫红毛人。一张像一版报纸大小的硬板纸上,印着许多形态各异的人物像,有半身的,也有全身的。造型有的全身戎装,手持刀枪;有的是神话里、宗教传说里的神仙、菩萨、仙女等,上面还用文字标明这人是谁。之所以称之为红毛人,是因为过去我们总觉得外国人的头发都是红的,眼睛是蓝的,把外国人通称为红毛人。这种卡通纸有不少就印有外国人的形像,当然看不清他们眼睛和头发的颜色,只是鼻子较高,头发卷卷的,身材颀长。

卡通纸每张卖3分钱。我们拿回家后,用剪刀把这些人物像一一剪下,然后像扑克牌一样叠好,用橡皮筋捆住,不时拿出来翻翻,边欣赏边猜想这个人有什么本事,曾经是什么角色。

自行车

自行车、手表、台钟是二十世纪六十年代中后期年轻人追求的三大件。当时，这三件日用品价格不菲，一般家庭难以承受，"上海"牌手表、"永久"牌自行车的价格都是120元，"三五"牌台钟稍微便宜点，也要50元一台。一个全劳动力农民，一年收入至多200多元，所以谁家拥有这三大件中的一件就很气派了，就会引来邻居们羡慕的眼光。

这三大件中，年轻人最喜欢的是自行车，穿上一件体面的衣服，骑上自行车，或上城里，或走亲访友，觉得很有面子。但毕竟太穷，买得起自行车的家庭寥寥无几，只有公社干部或在供销社、信用社等单位上班的人才有公家配发的自行车。偶尔碰到急事，住在同村的邻居会向他们借用一下，但要看他们的脸色，即使答应借给你了，也会叮嘱几句，车子漆不要剐掉了，轮胎不要扎破了。你满口答应："放心放心，不会搞坏的，半天就还你了。"然后骑上车，一溜烟不见了。

那时农村响应毛主席"农业的根本出路在于机械化"的号召，各生产队普遍修建了机耕路，而且与生产大队、公社所在地连成了路网，交通条件大为改善,一些经济状况稍微好一点的生产队开始购置手扶拖拉机等大型农机具,农业机械化程度有了一定提高。机耕路的修建也给骑自行车带来了便利,尽管路面还是凹凸不平,但比起泥路和石板路,骑行自行车方便多了。

我们公社的信用社主任姓郑,年纪四十开外,由于他经常骑车下队,与社员们都混熟了,大家也分不清他是公社干部还是信用社干部,都叫他郑主任。一天,他骑着一辆新买的自行车下来,路过我们生产队机耕路。刚好我们都在路边的田里耘田,郑主任骑车不紧不慢,还与我们打招呼。这时,一个后生大概半是心里不平,半是开玩笑,刚好拔起了一棵稗草,就顺手把那草连根带泥扔了上去,郑主任见状,将自行车把手一拐想躲开,可惜车技不行,机耕路又太窄,结果连车带人冲进了路边的水沟里,这一下可跌得不轻,自行车压在他身上,他拼命挣扎,弄得一身泥水不说,还捂着胸口连连喊疼。后生父母知道这下闯祸了,急急忙忙从田畈赶过来,手忙脚乱地把他扶起来,嘴上不停地道歉赔罪。郑主任疼得已经不会走路了,大家搀着送到队部,找了一只元宝篮,抬到公社卫生院检查,X光机拍照后才知道,他有两根肋骨骨折,需要静卧休息。好在郑主任通情达理,知道那后生只是开玩笑而已,并没有追究他的责任,也没有叫他们赔偿医疗费,只是后生的父母亲和我们的队长过意不去,去他家探望了好几次,一场风波才总算过去。

饭桌

实行计划生育前，一对夫妻基本上有四五个孩子，大的与小的，年龄相差在十五六岁以上，相差二十几岁的也有。一家人，加上爷爷奶奶，吃饭的时候就是满满的一桌。家里的孩子有的已经参加生产劳动，饭量大；有的还在读书，正是长身体的时候，需要一定的营养，一大家子的一日三餐，让做母亲的十分操心。

那时做农民的，口粮倒是基本可以保证吃饱，但由于手头上没有什么现钱，买鱼买肉极为少见，做菜就成了大问题，只能以腌品和蔬菜为主。咸齑、苋菜股、臭冬瓜是常年菜，自己种的马铃薯、蚕豆、豌豆、茄子、辣椒、冬瓜、南瓜、夜开花、长豇豆、茭白、青菜、茭菜、大头菜、萝卜等是季节性蔬菜，这些基本上是不用花钱的，构成了一户农家的基本菜肴。荤菜也有一些：过年时没吃完的猪肉、鸡肉，要么制成酱肉和腊肉，要么腌过后用酒糟渍着，偶尔切上一碗，改善一下伙食。这种肉省着吃，可以吃到四、五月份。再一个来源就是孩子们自己从田里捕来的泥鳅、黄鳝以及田螺等。偶尔大队里的代销店有海鲜供应，也会去买几斤尝尝鲜，那天对孩子们来说是很开心的一天。鸡、猪家家户户都养,但不是给自己吃的,猪养大了要卖给供销社换钱,养鸡也是为了下蛋换钱,等到过年时才能杀上一两只,也是以招待客人为主。

由于肚皮里没油水,大家胃口特别好。二十岁左右时,一餐可以吃下青花大碗三碗饭,所以中晚餐家里要烧上满满一大铁镬饭。下饭菜也一样,总要整出八至十碗,而且都吃得底朝天。盛过肉的碗,碗底还要用舌头舔得干干净净,洗碗倒省事不少。正因为这样,吃饭的时候,母亲总要多次关照,菜要省着吃,不要一直盯着好菜吃,让大家都吃点。有时,我们吃完饭去邻居家串门,没进门就听隔壁姑姑在骂人:"小鬼哎,下饭全部被侬吃光了,勿会省点吃啊,侬阿爸还没吃过嘞。"可见当时生活实在艰苦。就是在这样的生活环境里,我们成长起来了,并且懂得了生活的不易,懂得了珍惜现在衣食无忧的幸福生活。

偷吃

我上的高中叫慈湖中学，离我们家有十里路。由于路途遥远，周日至周五我们农村学生就寄宿在学校里，住的是大通间，每间住十六个学生，床是"白鸽笼"，上下铺，十五六个人挤在一室，热闹非凡。那时没钱没粮票，我们都是周六放学后步行回家，周日下午背一袋米，带上一两瓶母亲特意准备的炒咸菜、咸带鱼之类的"下饭"回学校。米直接送到食堂过秤后换取饭票，"下饭"放在寝室里，留待开饭时享用。

学校食堂实行蒸饭制，每个学生都有一只铝制饭盒。吃完早饭，在打米的窗口排队，根据自己的饭量向里面的师傅报米的分量，你说要四两、半斤，付好饭票，食堂师傅就把相应分量的米打到你的饭盒里，然后在自来水龙头下淘洗干净，放入蒸笼架子上，中午下课找到自己的饭盒就可以吃了。由于学生众多，如果没有记住自己饭盒的特征或忘记放在几号架子上，那就麻烦了，十几只架子上上下下反复地找，找到了还好，找不到就只能饿肚子。为了避免出现这种情况，每个学生都会在自己的饭盒盖上刻上名字或醒目的记号，同时固定地放在同一只笼子里。但还是有人不太仔细，拿错饭盒。我就碰到过一次。

一天中午放学后,急匆匆奔向食堂,想早点找到自己的饭盒,可找来找去就是找不到,只能眼睁睁地看着人家吃。就餐快结束时,有一位比我们高一级的女同学拿着两只饭盒走了过来,说是她拿错了,把我的饭盒当成她的饭盒,已经吃完了,让我吃她饭盒里的饭,还连声致歉。我也不好说什么,倒是我的同班男同学起了哄,吃起了豆腐,弄得我脸红红的,不好意思起来。

读高中正值十七八岁,青春发育期,肚子很容易饿,晚自习后回到寝室,早已饥肠辘辘,一些同学马上打开"下饭"瓶偷偷地往嘴里塞进一块咸带鱼,或吃上几口咸菜,解解馋。个别家境稍好的同学会稍稍地打开一包豆酥糖津津有味地吃起来,害得看到的同学口水直流。寝室里经常会发生诸如某人的"下饭"被人偷吃了,某人放在床头的几块饼干不见了等事,失主会怀疑这个怀疑那个,弄得满寝室不愉快。我住的寝室也发生过此类事情。有一天晚上入睡前,一个同学忽然叫道:"一包豆酥糖不见了,被人偷了。"大家听闻后,一方面出于关心,另一方面也是为了避嫌,都帮他找,找了半天也没找到。大家分析,要么被老鼠偷走了,要么被同学偷吃了,意思就是劝他别找了,被同学吃了就吃了。可他第二天还是向班主任做了报告,班主任也当回事,说查查看,寝室里查了一遍,又到外面看了看,结果发现在寝室窗外的屋缝里扔着半包豆酥糖。班主任分析,可能有个同学肚子饿了,比其他同学早一步回寝室,翻出那包豆酥糖吃了起来,没吃完就听到同学们回寝室的脚步声,为掩人耳目便把半包豆酥糖从窗口扔出去了。班主任觉得再查下去也不好,影响班级和偷吃者的声誉,便劝失窃的同学:"算了,肚量大一点,同学之间吃来吃去总是有的,别伤了同学之间的感情。"这件事情也就不了了之了。从此以后,我们寝室再也没有发生过类似的问题了。说明班主任在处理这件事情上方法是得当的,效果是好的。同学们也没受此事影响,大家和睦相处,学习上相互帮助,很愉快地度过了难忘的高中时光。至今我的这些同学仍然在互通音信,偶尔还会聚一聚,感情很深呢。

捕鼠

与人争食，传播疫病，掘毁堤坝，老鼠做尽了坏事。但老鼠是世界上生命力最强的动物之一，千百年来人类千方百计、想尽办法要消灭它们，都是徒劳无功，鼠患至今依然严重。尽管灭鼠效果不佳，但人们并未放弃。因为老鼠的危害实在太大，家里有老鼠作怪，让人寝食不安，心烦气躁，所以，一定要加以消灭。

灭鼠有许多方法，我们老家那里常用的办法一是放老鼠药诱杀。在老鼠经常出没的地方，放置拌有鼠药的飘着香味的食物，引诱其上当。但据说老鼠有灵性，不容易上当，假使有一只吃了后中毒死亡，第二只再也不会去碰这种食物，因此效果不佳。

二是养猫捕捉。村庄里几乎家家户户都养猫，有的养一只，有的养两只。养猫不是当宠物，目的是让它们捕鼠。捉老鼠是猫的天性，我亲眼看到过家里的猫是如何捉老鼠的：猫发现鼠的踪迹后，会悄悄走过去，蹲在老鼠必经的位置上，一旦老鼠出现，猫便一纵一扑，嘴巴一下就咬住了老鼠的脖颈。也奇怪，老鼠一见猫，便浑身无力，失去了往常的灵活性。猫捉住老鼠以后，并不急于把它吃了，而是捉捉放放，戏耍一番，待老鼠奄奄一息了才慢慢享用。猫捉老鼠同样效率不高，一只猫一天最多能捉一两只老鼠，对这么多的老鼠来说，无疑是杯水车薪。而且有些猫还是懒猫，只知吃了睡，睡了吃，起不了多大作用。

第三种方法是殍，殍也是捕捉，通常有两种工具，原理基本一致。一种是用一块比书本小一点的木块，一端装上弹簧，弹簧上连一条弯曲的铁丝，木块的中间再安装一根铁丝钩，能够钩住钉在木块顶端的扣子，用来压住弹簧弹起的弯铁丝。殍老鼠时，在铁丝钩上放一块油条之类老鼠喜欢吃的食物，然后把殍放在老鼠经常路过的地方，晚上只要老鼠一动那食物，铁丝钩马上滑脱，弹簧一收，那条弯曲的铁丝瞬间弹出，卡住老鼠。由于卡住了脖子，老鼠挣扎几下，就断了气。

另一种是铁丝笼殍，铁丝笼呈长条形，只有一扇门，门上装有弹簧，并连接着一条铁丝，铁丝的一端轻轻扣在铁丝笼内另一端的一个扣子上，扣子上面放一片苹果，铁丝笼的门开着，待老鼠进入觅食，触动铁丝扣，拉动弹簧，笼门便关住了。那只贪吃的老鼠便被活捉了。第二天，主人会将笼子浸没在水里，不一会儿，老鼠便溺水而亡了。

民间还有许多其他捕杀老鼠的办法，但老鼠繁殖力实在太强，看来人类与老鼠的斗争远远没有结束，仍然任重道远啊。

家狗

小时候,最伤我心的一件事,是我养的一条狗被人杀害了。

农民养狗不是为了当宠物,也不是为了吃,主要是为了防盗,保家护院。不管白天黑夜,只要有陌生人路过,狗总会"汪汪"地叫,提醒主人防备不速之客。那年春天,邻居家一条母狗生了四条小狗,断奶后,我要了一只,抱回家里,当宝贝一样养着,那条狗黑毛白斑,十分机灵,在我家时间长了,对我和我家里人都显得非常亲热,特别是对我,经常会舔舔我的裤管,亲亲我的手,看到我从外面进来,摇头摆尾的,晚上还蹲在门口为我们守家,恪尽职守。我呢,也是经常为它喂食搔痒,可以说,人狗之间建立了良好的感情。

这条狗还有一种灵性,至今我也不知所以然,就是村里死人的前夜,它会发出一种哭声,那哭声凄厉哀伤,听得人毛骨悚然,心魂动荡。果然第二天就有消息传来,某某过世了。年长者迷信,会说:"那是狗比人灵,看到了无常,无常过来把那人抓走了。"从此,我也非常害怕听到狗的哭声,希望狗能一直"汪汪"叫,不要有其他的声音。

那年冬天,我的狗已经有三十斤左右的重量。邻居已经在打这条狗的主意，而且也跟我假惺惺地商量过，说的是给我五块钱，把这条狗杀了吃肉。我坚决不同意，说："你们如果把这条狗杀了，我会找你们拼命的。"但是他们早就存了坏心，那天趁我不在，他们和我哥一起，里应外合，把狗逮住了，然后把它的脖子死死按在猪栏石板沿上，硬生生把它掐死了。等我回来，已经无力回天，他们已经把狗放血剥皮了，我只能大哭一场，哭骂一通。

至今我也不明白，为什么有些人为了口腹之欲，忍心把这么忠诚的朋友以这么残酷的方式宰杀。留着它们，让它们守护我们的家园，并与我们共同生活有多好啊。

梦

每个人心中都有追求美好生活的梦。在那艰辛困顿的年代,在我们这些读过初中、高中回到家乡参加农业劳动的年轻人心中,那种跳出农门、改变命运的愿望更加强烈。

干农活时,年轻人凑在一起,总会谈论一下从书本上看到的,从进城时感受到的或从别人口里听到的外面世界的精彩,七嘴八舌的,谈论的中心就是什么时候能做一个市民,做一个工人,在城里生活。一个女孩子不久前坐过一趟火车,她觉得火车里的列车员不错,就是为旅客开开门、送送水、扫扫地,很轻松的,说完一脸的向往;另一个女孩子说,城市里的环卫工人也不错,就是每天扫扫马路,比我们做农民的不知道要快活多少呢。男孩子们则想当兵,认为到了部队,工作表现好,就有可能入党提干,当个排兵、连长的,威武神气,门楣有光。少数的还是想继续读书,读大学,毕业后做老师、当工程师。可那时,一个农村青年想要获得城市户口几乎是不可能的。当兵虽然吃香,但名额有限,体检又严,能参军的人只有寥寥几个,在部队里提干的更是少之又少,多数都复员回家了。

可梦在，总会时时念想，总会千方百计去追求。女孩子们想通过婚姻改变自己的命运，有些主动放宽条件，嫁给了年龄偏大的城里男人，住到城里去了，但户口问题仍一直解决不了，生下的小孩也只能随母亲继续继承着农业户口。有些男青年与女知青谈起了恋爱，并喜结连理，成了城里人的女婿，算是半个市民了。可多数人并没有机会改变自己，只能接受现实，继续着一天到晚"面朝黄土背朝天"的农耕生活，并由媒婆撮合，结婚生子，日子虽然艰辛，但稳定。

命运往往在不经意间改变。忽然有一天，公社中学的校长到生产队找我，开门见山问我愿不愿意到中学做代课老师，每月工资25元，教初中语文、化学。他并不要我当场答复，叫我考虑一下，与生产队商量商量再说。几天后我便给学校回了话，表示愿意去当代课老师，工资交生产队记工分。新学期开始，我便站在了讲台上，成为一名教书育人的老师了。直到1977年全国恢复高考，我重新成为一名学生。从此，机遇之门打开了，我的人生也翻开了新的一页。

第四辑

旧物记情

火缸

农民家里的大灶以镬洞数量为标准,可分为两头灶、三头灶,镬洞之间还要挖一个洞,放入汤锅,烧饭菜时,镬里的东西烧熟了,汤锅里的水也开了,家里的热水也有了。

烧饭的燃料是柴草,灶洞里会积存许多草木灰,刚烧完,柴火还很旺,农家要利用这些余热炖烧其他食物。于是就在灶洞的旁边用砖块、石板搭建了一只火缸,专门用来贮放柴灰。

一般家庭有两只专门用于火缸炖煮的陶甏,一只炖粥,一只烧水或煮其他食物。烧晚饭前,主妇已经在准备第二天的早餐,或是大米粥或是番薯粥。为了节省柴草,也为了多睡一会儿,粥是在火缸里炖的。把米或番薯倒入甏内,加上足量的水,然后在甏的四周围上一个稻草结,一起放进火缸。烧完晚饭,趁大灶里的柴火还旺,赶紧用铲子将柴灰搬进火缸,均匀地覆盖在甏的四周,那只粥甏就埋进了灰堆里,只有甏口与盖子露在外面。这时甏体上围着的那个草结也开始缓缓燃烧,甏内温度自然很高。一个晚上过去了,清晨打开甏盖,滚烫的米粥就可以吃了。用火缸炖出来的粥特别稠特别香,番薯粥也一样,番薯特有的清香都激发出来了，加上一勺白糖，可以吃上好几碗。

　　火缸的作用不限于这一项。家里有婴儿的，阴雨天火缸就成了烘箱，小孩衣服、尿布等在火缸上烘烤，很快就干了；小孩们嘴馋，把番薯、马铃薯往火堆里一焐，半小时后就焦熟了，扔几颗栗子进去不一会儿就爆裂熟了。冬天，老人们穿着大棉袄，把双手缩进袖套里，围坐在火缸边取暖，就好像坐在油灯旁一样，热烘烘暖洋洋的。火缸里的灰需定期清除，这些灰还是很好的农家肥呢。

冷饭筲箕

过去农村家庭人口众多，吃的也多。米饭是用大灶大镬烧的，燃料用的是柴和稻草，烧出来的饭比现在用电饭煲、高压锅烧的要香得多，镬底还会产生一层镬焦，又脆又酥，让人胃口大开。

一般人家早餐吃的是泡饭，中餐和晚餐基本上是新烧的米饭，如果中餐的米饭没吃完，会在烧晚餐时与米燠在一起，即混在一起烧。那时，家家都穷，饭桌上很少有荤腥，猪肉之类更是一年到头吃不了几回。由于肚里没有油水，每个人的饭量都很大。母亲们在每天的中午和晚上都要烧一大镬饭，让子女们都能吃得饱。没吃完的饭怎么办呢？要把它放到其他的容器里，因为这口镬还要烧其他的东西。这种容器我们叫"筲箕"，用竹篾编制而成，底部呈椭球形，上面有环，可提可吊。把冷饭盛入筲箕，上面盖上一层纱布，然后吊在灶间的梁上，以防猫狗偷吃。

小时候，由于没什么营养品，也没有饼干、糖果之类的零食，肚子容易饿，所以冷饭筲箕对于我们很有吸引力。记得那年读初中，下午放学回家，肚子空落落的，饿馋交加的我到灶间找吃的，东找西找也找不到有什么可以垫肚子的，于是把眼睛盯到了冷饭筲箕上。搬来一条凳子，人立上去，把冷饭筲箕摘下来，抓起冷饭，就往嘴里塞，塞了几块饭团后，饥饿感有所缓解，重新把筲箕吊上，再去翻灶间里的坛坛罐罐，见腌着的臭冬瓜、苋菜股之类的，就捞上一块，急急忙忙放进口里，也不管它们咸得要命，囫囵吞进肚子里，这样总算安下心来，提个篮子割猪草去了。

晚上母亲烧饭的时候发现冷饭筲箕动过了，冷饭少了些，就会问我："你偷冷饭吃了？"我说："是的，肚皮饿煞了。"母亲也不说什么。

想想我们那时候，吃不饱是常事，现在的孩子不是吃不饱的问题了，而是不想吃，拣着吃，好多还挑食，这个不吃，那个不吃的，娇贵得不得了。希望我们小时候的景况不要重现，也希望现在的孩子们懂得珍惜眼下的幸福生活。

米缸

米缸是吃饭家什,每户农民家都有。过去的米缸可不像现在这样小巧,只能存放十几二十斤米,而是陶质的,像一只大鼓,胖胖圆圆,容量很大,可以存放上百斤大米。当时到轧米厂轧谷,起码一百多斤一次,挑回家后一次性倒入米缸里,差不多要吃上二三十天。米缸里放着一只米升,米升由木片箍成,底小肚大,平平一升大约一斤,烧中午饭时要装上四五升,才能满足一家人的饭量。

吃饭是家家户户的头等大事,因此,贮米的容器也有了特殊地位。米缸不放在灶间,也不放在醒目地方,一般都放在卧房里,目的是防止多吃,也是为了防偷,更为了防鼠。农民有句话,说是"老鼠跳进白米缸,快乐得要死"。如果老鼠跳进去,不仅要吃,而且会把鼠粪拉在里面,要糟蹋好多大米。因此,米缸是有盖子的,晚上睡觉前还要检查一下米缸盖有没有盖好。米缸里的米吃得差不多了,说话要注意,不能说米缸空了,要说米缸满了。因为米缸空了就要饿肚子了,不吉利,所以在说法上米缸永远是满的,一家老小也就不会忍饥挨饿。这实在是我们老一辈缺吃少穿的日子过得太苦,心理上有恐慌感所致。

"谁知盘中餐,粒粒皆辛苦。"米在农民心中的分量太重太重。一年忙到头,求的就是一个温饱,如果小孩子吃饭时把饭粒丢落在地上,或吃完了,碗底还有饭粒剩下,是要挨一顿骂的。即使没吃完放了几天有点馊了,做父母的也要加加热吃下去,舍不得倒掉。遇到亲戚邻居断了炊要借米,会觉得很尴尬。宁波老话里有一个词语叫"借米聋",说的是有人来借米,主人假装耳朵背,听不清借米人说的是什么,只是反复问:"啊啊,你说啥啊?"其实内心明镜似的,就是不肯借,但又不能直截了当地回绝,怕面子上不好看,只能装糊涂。

现在,好多人家已经没有米缸了,米吃完了就直接到超市买上一袋。食物多样化后,饭量也小得多了。但居安思危,饱时要思饥时苦,节约粮食还是要时时提倡,人人做到,千万不能暴殄天物。

七石缸

我们老家通上自来水还是二十一世纪初的事。原来煮饭烧水用的都是河水、井水和天落水,所以家家户户都有一两只大水缸,用来贮水。这种缸,我们称之为"七石缸",形容其容积大,可以装得下七石大米。"石"作量词时读"dàn",一石的重量在120斤左右,一只缸能装得下约840斤大米,可见它的大了。可我们那儿,七石缸是不放米的,而主要作为贮水的容器,也有作为咸菜缸、酿酒缸、粪缸之类的。七石缸为陶质,略呈圆台形,上大下小,上部敞开,底部中间向上凸起,承重能力大大增强。缸体高一米,上口径约一米五六,看上去像个巨无霸,江南农村再也没有比七石缸更大的陶缸了。

七石缸一般放在灶间门的外面,也有穿墙而过的,一半在灶间里,一半在灶间外。它的上方是屋檐下的雨水斗。雨水斗,我们称为"水溜",下雨时,屋顶瓦片缝里的雨水流入"水溜",再落入水缸,这就是天落水。那时,一年四季天空都是湛蓝的,空气几乎没有污染,雨水洁净甘甜,如果一场大雨把水缸落满了,不仅省却了挑水之累,而且可以喝上几天的好水了。当然不能指望几场雨解决喝水问题,平时主要还是靠挑水装满水缸的。我们家门口的那条河是活水河，通姚江，水体常年流动，水质总体不错，河里水草纤细，鱼虾成群，不仅是全村人洗菜、淘米、浣衣、沐身之地，也是饮用水的主要来源。当水缸快要见底时，清理完缸底后，家里会有一人担着水桶，往河埠头挑水。盛满一缸水大约要挑上七八担。为了去除水中的杂质，一般在水缸满了以后，还要往里面均匀地洒上一碗明矾水，不一会儿，水体就会变得十分清澈。春夏季，由于农田排灌，河水变得浑浊，饮用水就成了问题，好在离村庄一里地的山脚下有一口古井，井水清澈，常年不涸，村里人每隔四五天会去挑一次水，不但烧饭烧水用它，口渴的时候就直接在水缸里舀上一瓢，"咕咚咕咚"喝下去了。

"绿水青山就是金山银山。"洁净的水对我们的生活来说是多么重要啊。可惜，现在家门口那条河里再也不是原来的样子了，河底淤积，河水污染，水挑到水缸里即使撒了明矾，喝了以后也保证会拉肚子。当然，有了自来水，吃水倒不成问题，人们也早已不用挑水喝了，七石缸的贮水功能也随之消亡，盛在里面的水只能用来防火了。

金丝凉帽

妇女们为了增加现金收入,常利用空闲时间,承接外贸业务——打金丝凉帽。所谓打凉帽就是编织草帽,当时,上面的外贸公司承接了手工艺品的出口业务,原料由国外进口,手工加工后又出口国外,按现在说法,属于两头在外的加工贸易。公司在一个生产大队派有联络员,由联络员向各家各户派发金丝草,由妇女社员承接。

金丝草像棕榈丝一样粗细,颜色白中带黄,韧性很足。分发草时,没有书面合同,但口头上说得很清楚,织一顶帽子,验收合格后,按编织的质量确定加工费,多则六七元,少则一两元。如果织坏了,要赔偿草的成本。妇女们接到任务后,都非常认真。除了白天参加农业劳动外,晚上回到家就坐在凳子上编织草帽。如果你去串门,就能听到"得得得"的声音,这就是织草帽时人的手指甲与草碰撞的声音。打金丝凉帽是一项非常花功夫的活,从"挖顶"开始到"塞边"结束,往往要花二十天到一个月时间,而且还要非常小心,不能编织错误,不能留下脏手印。所以在编织过程中,草帽不能随便乱放,编织间隙,要给它盖上干净的布,放在床上,小孩子是绝对不能碰的。重新编织时要洗净手指,换下田间劳动时穿的衣服,并在膝盖铺上一块白布,保持相对的干净。"塞边"以后,还不能交货,帽洞还要用"块头"拉压,再用鹅卵石在帽子的周边均匀地挤压,使之平整匀称。到此,一顶金丝凉帽的加工就算完成了,兴冲冲地交货,等待评判等级,如果能拿到五六元的报酬,那就开心得不得了,因为这相当于十天农业劳动的收入了。

做布鞋

小时候，家里没钱给我们买鞋穿，如果有一双塑胶底的松紧鞋或一双解放鞋就很奢侈了。我们穿鞋也是有季节的，从夏初到霜降前，天气温暖，大人小孩白天基本上都赤脚，晚上洗好脚，拖一双自己做的木屐，只有冬春两季，因为天气寒冷，才穿上鞋子。

鞋子由母亲亲手制作，做鞋的工艺比较复杂。我印象中，先是根据脚的大小，画鞋样。鞋样画在报纸上，衬上箬壳(毛竹壳)剪出鞋底鞋帮模型。接着翻箱倒柜找碎布条，碎布条数量不够就把破衣服撕成条块，把这些碎布条用糨糊黏合在一起，一般要粘两至三层，贴在门板上，做成布箔，晾干掀下后，在布箔的两面贴上鞋夹里和鞋面，鞋夹里一般用绒布或白色龙头细布，鞋面一般用黑色的横贡呢布或直贡呢布，然后按样裁出鞋帮，四周用针线缝边，鞋帮就做成了。再做鞋底，在箬壳鞋底样的两面衬上白布，四周绲边，做成"大底"，然后在"大底"上一层层均匀叠加碎布，叠至1.5厘米厚，用一块龙头细布作为面子，用针线固定后，剪去周边的多余部分，一只鞋底的雏形就出来了。接着要缉鞋底了，缉鞋底有多种方法，围绕鞋底一圈圈缉，叫"爬乌龟"法；直线上下缉，叫

"来回"法。母亲左手拿鞋底,右手中指套一枚顶针,用力把针顶进鞋底,就这样,一针一线地缉,针脚密密麻麻。由于母亲每天还有大量家务要做,缉一双鞋底大约要一周时间。

鞋底、鞋帮分别完工后,最后一道工序就是缝合,把鞋帮的边与鞋底的边对接缝合,一双布鞋就做成了。为了让鞋子的样子好看一点,还要用"鞋修头"修上两天。

由于新布鞋是量着自己的脚样做的,所以穿上后非常合脚舒适。当时子女多,一位母亲每年起码要做五至六双鞋,不仅做单鞋,还做棉鞋,够母亲们忙了。

夏布蚊帐

江南水乡蚊子多，睡觉时为防止蚊虫叮咬，最好的办法就是在床上挂一顶蚊帐，否则夏天的晚上就没法睡了。我们小时候，没有尼龙纱布帐，棉纱蚊帐可能有，但不可能上城里去买，所以，蚊帐都是买上一块纱布由母亲自己做的。印象最深的是母亲床上挂的夏布帐，底色已经泛黄，藏青的印花图案，还是清楚得很，几处破洞用白细布仔细补上了。这顶夏布帐不知有多少年了，反正从我记事开始就一直挂着，是母亲的嫁妆还是有着什么其他渊源，我一概不知。

夏布是由苎麻丝用土织机织成的，由于麻丝较粗，织成的布挺而硬，透气，蚊子却钻不进来。布织成后用土法染上颜色和图案，缝制成帐子时也用麻线，做成一顶夏布帐要花上一两个月的时间，许多家庭女儿出嫁时，会陪嫁一顶母亲一针一线做成的夏布帐，寄托着娘家人对女儿的深厚感情。

每晚睡觉前，母亲都要用芭蕉扇掸干净帐子里的蚊子，把帐幔严严实实地塞进席子里，然后就催我睡觉。我在夏布帐里入睡，早晨醒来，眼睛盯着夏布帐上的图案，想象这个像什么花，那个又像什么虫子，一路想下去，直到母亲叫起床，才撩起帐幔，钩在帐钩上，伸个懒腰，下床去洗漱吃饭。

煤油灯

我读初中之前，村庄里尚未通电，一到晚上便漆黑一片。人们吃过晚饭只能窝在家里，早早上床休息了。晴天的晚上，皓月当空，星汉灿烂，幽蓝的月光下，微风吹过，树影婆娑，偶尔会听到几声狗叫，村庄越发显得安详宁静。

没电就谈不上使用电器，什么电饭煲、电风扇、电视机之类，连听也没听说过。没有电灯，照明用的是煤油灯。煤油，我们叫"火油"，凭票供应，大队的小店里有售，不称斤两，按提卖，一提250毫升。灯有好多种类，我们那边主要有两种：一种是自己做的小灯。找一只玻璃墨水瓶，瓶口放一枚铜钱，铜钱孔里插入一根铅皮做的管子，管子里穿进一根棉线做的灯芯，灯芯下端比较长，放入瓶肚里吸收煤油，上端露出短短的一截，擦着火柴一点，灯就亮了。另一种是买来的。玻璃制作，高脚大底，上端有个大肚子，口小有螺纹，用于安装铁皮制的灯头，灯头像一顶皇冠，周边有四片有弹性的铁扣子，可插入灯罩，灯罩也由玻璃制成，形状像去了两头的葫芦，其作用是防止灯火被风吹灭。灯头上还设置了转钮，可以调节灯的亮度。

煤油灯光线的辐射半径大概只有五六米，晚上吃饭、早起烧饭是能够看清东西了。女人们晚上在灯下做针线就比较累,尤其是穿针引线时,一定得拨亮灯光,凑近了才能看清。煤油灯还有一个缺陷,就是移动困难,容易被风吹灭。如果晚上找东西,要一手拿着煤油灯,一手挡在灯罩上,遮挡吹来的风,脚步要缓慢稳重,不能让里面的煤油荡出来。待到子女们都安睡了,母亲也不会吹灭灯火,而是把火调至最小,灯里面仍然闪着幽幽的微光,免得小孩子们半夜起来方便时,晕头转向找不到地方。

煤油灯伴着我们长大。在那昏暗的灯光下,我们看书写作业,静静入睡;拿着油灯捉蟋蟀、找蝈蝈;看着母亲一针一线缝补衣服,感受浓浓的母爱。现在偶尔看到丢在墙角的煤油灯,感觉仍然温馨悠长。

煤球炉

二十世纪六十年代末期，国家实行封山育林、植树造林政策，上山砍树砍柴被禁止，农村尽管有秸秆可充作燃料，但要维持一日三餐、一年四季之需，没有木柴的补充是远远不够的。于是国家开始向农村供应煤球，当然是按人按户凭票定量供应。

为了适应燃料结构的变化，每家每户都购买或自制了一只煤球炉。煤球炉呈长筒形，中间有一个圆柱体的耐火炉芯，上小下大，安放在一块生铁制的栅子上面，炉子下端靠近底部的侧面有一扇炉门，空气从此进入，煤灰从此下来。

有了煤球炉，农民的生活大大方便了，烧水煮饭炒菜都可以在煤球炉上进行，晚上不用了，还可以把它封起来，第二天早上开封，煤球仍在燃烧，用铁棒一捅，添上几只新煤球，几分钟以后火苗马上蹿了上来，就可以烧泡饭了。但用煤球炉也有麻烦。一是煤球是凭票供应的，数量不足，只作为一种补充燃料，烧食物主要还是用土灶靠秸秆。二是买煤球要花功夫，公社所在地没有煤球店，我们要步行十里路到慈城的店里去买。煤球是按斤两出售的，而且卖给你的既有煤球也有煤粉，一百斤里面，大概成形的煤球占60%，煤粉占40%。挑回家后,拣出煤球先用,用完了把煤粉掺水,用手捏成煤球,晒在地上,干了以后再用,所以当时到农村去,经常可以看到农户家门口石板上排列着一颗颗黑色煤球、煤饼。三是生火困难。在炉芯内,用易燃的柴草或纸张点火,引燃硬柴,待火旺并在炉芯底部有一定的炭火积累时,再在上面添加煤球,使之发热发红。旺火上面突然覆盖了煤球,会导致炉内氧气不足,于是炉子马上浓烟滚滚,熏得人眼泪直流,咳嗽连连,而且弄不好就把火扑灭了。于是,便要用扇子拼命往炉门里扇风,直到里面的木柴烧完、煤球点燃为止。这个过程要半小时左右,可见生炉子的艰难。

后来,煤球变成了中间有孔的蜂窝煤,热能效应有了较大提高。再后来,煤气灶替代了煤球炉,更加清洁、安全、便捷。现在厨房里灶具的品种就更多了,什么电磁炉、电饭煲、微波炉等等,用煤球炉的时代一去不复返了。

棚车

在中国，交通始终是个大问题。尽管现在交通已经相当发达，过年前夕，火车票仍是一票难求，外出的人们回家仍十分艰难。二十世纪六七十年代，尽管人口流动量不大，但过年时大家走亲访友，下乡知青回家，铁路运输也是远远满足不了客运的需求。

为了缓解交通压力，铁路部门除了增开几列临时客车外，还会增开几对短途的棚车，比如宁波到杭州、宁波到上海。所谓棚车，就是铁路货车，平时用于运送怕日晒雨淋的货物，包括粮食、日用工业品，也运输猪、牛、马等牲畜。棚车形状像现在的集装箱，但侧面有滑门、通风窗。把运货的车辆腾出来运人，也是铁路部门的无奈之举，谁叫我们中国人口这么多，又这么穷呢？

棚车的票价较之一般客车大概要便宜一半，而且每节车厢是不定员的，也没有座位，所以乘棚车的人很多。有一年，我们兄弟几人春节期间去上海，天蒙蒙亮，就从家里出发，走十里路，到慈城火车站，买了棚车票，等了一个多小时，才听到"哐当哐当"的声音，一列棚车进站了。大家便一拥而上，挤入车厢，可车厢里早已站了几十个人，待我们进去，里面基本塞满了。我们赶紧占好位置,放下行李,并拿出随身携带的小凳子坐了下来。三分钟后,临时列车员用力拉上滑门,并用一根硬铁丝卡在门上,算是锁了门,火车便开动了。随着火车的晃动,站立的人也随之摇头晃脑,跟跟跄跄。最恶心的是,车厢角落还放着一只便桶,并无任何东西遮掩,不管男女,如果内急,只能当众方便,毫无隐私可言。脚下车轮滚滚,鼻子里闻到一阵阵尿骚味,好在坐棚车的旅客多数是农民,为了省钱,也顾不了许多。

棚车是到一站停一站的,加上速度慢,遇到其他列车还要临时停靠等车,所以晚点是经常的事。正常情况下,慈城到上海北站要十二个小时,如果晚点就不知道什么时候才能到了。因此,多数人会从家里带点诸如熟鸡蛋、爆米花、炒年糕片之类的干粮,以及一盐水瓶的水,聊以充饥。

到上海北站,已经晚上十点多了,好在有人接,倒不担心迷路之类的,可十几个小时颠簸下来,实在是太疲惫了,尽管有大上海迷人的灯火,也提不起精神来了。

拖鸡豹

在公路交通极不发达，看到汽车还很好奇的年代，外出旅行艰辛而漫长，可以选择的交通工具极为有限。远路乘火车，近途用"11路"，不近不远坐航船是最基本的出行方式。乘火车就不必说了，所谓"11路"，就是两条腿，一般十到十五公里范围内走亲访友办事情是没有车子坐的，只能迈开自己的双腿不停地走，好在过去道路上建有不少凉亭，走累了可以在里面的石凳上坐坐歇歇脚。如果到宁波、余姚去，就得坐航船了。

我们那里机动客运航船是二十世纪六十年代后期才有的，船不大，大概可以坐二三十人，船的尾部有一间机舱，里面装有一台柴油发动机，发动机带动船底的螺旋桨，驱动船体前进后退。发动机的排气管直接靠在船舷边上，发动机工作时会发出有节奏的轰鸣声，震耳欲聋，同时排气管冒出阵阵黑烟。大概是其声音太响，样子气势汹汹，舱位里又可以吞进好多人的缘故，我们那儿把这种航船称为"拖鸡豹"。

开通航船的河道并不多，主要是在水面比较开阔、桥梁不多的河道上，一个公社有一两条航线已经不错了，而且一天就只有早晨一班，错过时间就无法成行了。我们家离航船埠头大概有两公里路，有一次我有事去宁波，坐的就是"拖鸡豹"。

  那天，我一早赶到航船埠头，时间还早，就坐在石阶上等待。一会儿，便听见"嗒嗒"的响声，一艘外面漆成绿色的"拖鸡豹"开过来了，它慢慢减速，靠上埠头。我们急忙跳上船头，一头钻进客舱，还没坐下，船便驶离了埠头，快速向前开去。这时售票员走过来，问我到哪儿，我说到宁波，她说："三角。"于是，付了钱坐了下来。舱内人声嘈杂，空气污浊，便想出去透透气，看看景色。我小心翼翼地走在船舷上，忽然觉得脚背一热，低头一看，原来是排气管的废气喷到了脚上，穿着的一只尼龙袜瞬间被烧出了几个洞，让我心疼不已。这时，船已经驶入了江面宽阔的姚江，只见两岸苍翠葱茏，天空白云朵朵，前方水天一色，鸟影点点，船后水波翻腾，涌向两岸。就这么站在船头，出神遐想，仿佛那柴油机烦人的轰鸣声也听不见了。两个小时后，船到了终点站——宁波的姚江大闸码头，水上的旅程结束了。

  四通八达的公路网形成后，乡下人出行主要靠汽车了，水上客运日渐式微，现在要想在姚江上坐一回船也不大容易了。

做棉袄

家庭里，母亲这个角色是最累人的，不仅要参加劳动，还要相夫教子；不仅要操持一家子的吃喝拉撒，还要会做各种女红。单单是丈夫、子女的穿衣穿鞋，一年到头也要操不少心思，花很大的功夫。

单从衣服来讲，一个人从春到冬，不同的季节穿着也不同，不算内衣内裤，基本的配置包括一件衬衣、一件两用衫、一件棉袄、一件毛线衫、一条棉裤。如果要洗换，一件就远远不够。过去家里穷，没钱给儿女们买衣服，只能由母亲一针一线缝制。"慈母手中线，游子身上衣"就是当时的真实写照。

我小时候的衣服大多是母亲做的，哪怕我二十几岁到外地读书了，身上穿的棉袄也是如此，尽管式样很土，但穿着暖和实惠。

农村里也有专门给人家做衣服的土裁缝，这些裁缝家里有一台老式缝纫机，人家送来布料，土裁缝就拿出皮尺，当场丈量身高、腰围、袖长，说定几天后取货。这种情况一般发生在某人要出远门或有喜事的时候，为了体面一点，才咬咬牙做一件新衣服穿穿。但也有例外，就是偶尔要做一件复杂一点的衣服，而母亲们又感到自己没把握，怕做坏了糟蹋布料，便会请师傅到家里来做。

第四章 旧物记情

"文化大革命"时,我们村庄有一位老太太,年纪五十开外,人长得干净利索,她有一门手艺,就是会做丝绵棉袄,大襟的、对襟的都会做。可此人因为出身不好,被批斗了好几次,受尽了折磨,害得她精神错乱,连喉咙也哑了,说话声音沙沙的,小孩们经常欺负她,往她身上吐唾沫、扔瓦片。可她的手艺实在太好,还是时常有人请她到家里做衣服。我印象中,她也到我家来做过一次,那时母亲要给自己和我姐各做一件丝绵棉袄,母亲已经买了丝绵、毛革(缎子的一种)、羽纱、纱布等料子。那位老太太到家后,给母亲和姐姐量了身材,搭了一个工作台,开始裁剪。毛革有花纹图案,是做面子的,羽纱是做里子的,纱布是衬丝绵的。只见她把一团丝绵一缕缕地扒开,均匀地摊在纱布上,然后用针线固定,以防止穿时丝绵缩成一堆。接着下铺羽纱,上盖毛革,用针缝合,先缝边,后上领口和袖子。

最花时间的是做纽扣,中式棉袄是不用胶木和金属纽扣的,必须用花布做成盘纽。把布剪成长条状,两边卷向中间,形成一条两边高中间凹的长布条。将布条的一头用图钉固定在桌边,然后顺着布缝,一针一线缝合,做成一条像鞋带粗细的圆绳。利用这条圆绳,先盘一粒纽襻,纽襻形状像火柴。再盘纽扣,纽扣样式各异,有一字扣、琵琶扣、蝴蝶扣等,由主人按自己的喜好决定样式。纽扣、纽襻做成后,分别缝在衣襟两边,好像是锦上添花,整件棉袄也更加光亮了。

做完棉袄,还要配套做一件罩衫,就是穿在棉袄外面的那件衣服,母亲的是藏青色,姐姐的是碎花图案。老太太一共在我家做了两天,母亲管饭管住,走时又塞给她一元钱。本来应该是我们感谢她的,结果反而是她千恩万谢,好像她欠了我们人情似的。看着做好的新衣服,母亲和姐姐美滋滋的,笑得合不拢嘴了。是的,穿新衣服总让人高兴,而且可以穿好几年呢。

票

计划经济时代，生产和生活资料可不是有钱就可以买到的，必须凭票购买。农民也好，城市居民也好，家家户户都会发到各种各样的票证。当然，供应的商品，城市居民会更多一些，有些东西农民是享受不到的。分类来说，生产资料方面，化肥、农药、木材、钢筋、水泥、砖瓦等，每种由政府确定指标，下达到公社，公社根据各生产大队的实际，再作分配。生活资料方面的票，种类就更多了，粮票、布票、油票、煤油票、烟票、肉票、火柴票、棉花票、肥皂票、糖票、酒票等数不胜数。此外还有一本购货证，有二十多页，每页上都印有数字序号，用于购买供销社临时供应的诸如海鲜、猪肉等商品，用一次撕一张。若要添置自行车、手表、缝纫机之类的工业品，还要用另外一种票证——工业券。工业券的数量十分有限，记得买一辆自行车要十张工业券，一户人家一年却只发给两三张，根本买不了，所以多数家庭是不会考虑去买的，真的迫切需要，就要靠亲戚朋友调剂，或者出钱向别人购买。当时我们那儿供应的基本上是上海产的"永久"牌和"凤凰"牌自行车，每辆价格120元，如果加上工业券，实际价格远远超过了供应价格，对农民来说，相当于全家一年的净收入了。

有那么多的东西要凭票供应，给人们的日常生活带来了很大影响。布票不够用就不能买布穿新衣服，大人、小孩身上穿的都是打有补丁的衣裳，流行的一句话"新阿大，旧阿二，缝缝补补破阿三"是当时的真实写照。

出门旅行必备三张票证：钞票，离了它寸步难行；粮票，离了它要饿肚子；身份证，当时没有身份证，户口本随身携带不方便，只能由大队开证明，证明本人是什么地方人，政治面貌如何，外出去干什么。没有这张证明，万一外地的公安、治保查起来，就说不清了，说不清就有被关起来的风险。

其中，粮票是所有票证里最重要的。按其流通的范围，粮票可分为全国粮票、省级粮票、市级粮票，以及县级粮票，农村戳社户还有一种社供应粮票。粮票的票额从半两开始，一两、二两半、半斤、一斤，最高到二十斤。全国粮票由于可以在全国各地通用，是最吃香的。公务人员出省出差，可凭证明和本地粮票，按出差天数，到粮管所兑换全国粮票，如果家里有五斤、十斤的全国粮票，会当宝贝一样藏起来，不轻易使用。

那时，大饼油条是小孩子心中的美食，如果跟着父母进城上街，看到大饼油条摊，会很馋，不停咽口水，吵着让父母买。可大饼油条是要用粮票买的，一根油条半两粮票三分钱，一只大饼一两粮票三分钱，父母倒不是舍不得花六分钱，是舍不得用一两半粮票。所以大多数情况下，大人们不会答应小孩的要求。偶尔动了恻隐之心，买上一次，那就是那个小孩的幸福时光了。

现在，我们的物质生活已经极大地丰富了，再也用不着票票证证了。放在抽屉里的那些粮票、布票等票证，已经变成了纪念品和收藏品，有一些还进了展览会。是的，让我们记住那段艰难的岁月，坚定地走社会主义市场经济道路，让生活越来越富足美好。

六六粉

二十世纪六十年代中后期,农村化肥、农药的品种不多,使用量也不大。但有一种叫"六六粉"的农药却被广泛使用,原因是杀虫效果好,且贮存、使用方便。

"六六粉"是一种具有中等强度毒性的有机氯农药,对多种害虫有毒杀作用。农作物播种时,在种子里或覆盖种子的农家肥里拌入"六六粉",可以有效防止地老虎等害虫对种子的噬咬。水稻、玉米、土豆、毛豆等作物的生长期都可以用"六六粉"作为杀虫剂,以防治螟虫、蝗虫、蝼蛄等害虫的侵害。

但农民可能不太清楚,一种农药对昆虫有杀灭作用,同样对人体也有毒害。农民只知道它的厉害,认为其杀虫效果好,只要有虫的地方都用它。好多社员会偷偷地在生产队仓库捧上一把"六六粉",用纸包了,拿回家用于房间里杀虫。当时多数家庭的床是用木板搭起来的,冬天为了保暖,床板上会铺一些稻草,上面再铺棉絮、床单,这很容易滋生跳蚤、臭虫之类的害虫,被咬过之后皮肤又痒又痛,还起小疙瘩。半夜三更被咬醒后,点亮灯满被窝找恼人的虫子,多数时候是找不到的,只能忍着。有了"六六粉"以后,掀起棉絮,在稻草上面均匀地撒上一层，从此跳蚤、臭虫不见了踪影，可每晚睡觉的时候总有一股"六六粉"的味道。其实，通过呼吸道，我们体内已经有了"六六粉"的残留。

据书上说，"六六粉"进入人体后，容易引起慢性中毒，其表现为神经衰弱、头晕、头疼、食欲不振、恶心、失眠、肌肉酸痛等症状。现在回想起来，我小时候经常头痛，头痛发作时，伴有恶心、呕吐，可能与当时睡的撒有"六六粉"的床有关，不知不觉就中毒了。

由于"六六粉"的化学结构十分稳定，它在旱地中的降解非常缓慢，甚至到现在，棉区的土壤中，仍然可以检测出有机氯的残留物。好在国家考虑到这种农药的毒性和对环境的长期影响，从二十世纪七十年代开始逐渐限制直至禁止"六六粉"的使用。但它造成的后果仍然十分严重。

第五辑

风俗记实

上坟

清明是汉族百姓祭奠逝者的日子,人们祭拜祖先和故人,缅怀先辈,寄托哀思,追本溯源,祈盼逝者保佑子孙平安幸福。清明又是春回大地、万物萌动、生机勃勃的时节,人们借扫墓踏青,感受春天的气息,沐浴春天的阳光,汲取春天的活力,以求身体康健,事业兴旺。

尽管清明已经成为全国性的节日,但各地祭祖的习俗却各不相同,各有各的做法。我老家一带向来对清明祭祖看得很重。清明未到,有关活动已经开始了。清明前一两天,要先在家里摆上一桌请祖宗。菜肴数量一般为单数,七碗或九碗,荤素搭配,其中荤菜里鱼和肉是不能少的,素菜中豆制品和青菜也是必有的。越剧《何文秀》有一个唱段叫"桑园访妻",里面罗列的只有六碗菜,可能是绍兴那边的风俗。我记得当时我家做的清明羹饭,桌上供的有油豆腐烤肉、红烧河鲫鱼、清水海虾、青菜豆腐、炒黄豆芽、炒藕片、烤毛笋等。除了这些,还要放上十二只酒盏、十二双筷子,然后点上两支红烛、三炷清香,口中念叨:"祖宗大人,清明到了,请你们来喝一杯酒,别嫌我们菜不好。"家人们见状也都过来分别祭拜,祝他们在阴间过得舒泰,请求他们保佑家人无病无痛，小孩聪明，大人们事业顺利。酒要倒三次，意味着酒过三巡，接着便上米饭，一个位子一碗，也是十二碗。看看香点得差不多了，女主人拿出早已准备好的佛经、纸钱、锡箔元宝烧了，让祖先们在地下也可以手头宽裕点。

清明当天，在外地工作的人也会赶回来，一大家子人带着水果、糕点、香、烛等祭品，早早就上山了。有的清理坟头，堆上新土，有的摆放祭品，点上香、烛，全家老小都要朝着墓碑拜上几拜，嘴上说着："阿爷阿娘，阿爸姆妈，今天清明节，阿拉来看看侬，送点东西给侬吃吃，送点钞票给侬花花，保佑阿拉太太平平、子孙聪聪明明。"然后便是烧纸钱，不仅烧给自己的亲人，还要烧一点给土地公公、土地婆婆及地下的邻居，希望他们对自己的亲人多加关照。

扫墓最揪心的是扫新坟。亲人去世后的前三年正清明，扫墓的人凌晨就要上山，祭品也更丰富一点。在世的家人还没有从失去亲人的悲痛中恢复过来，一到坟头，眼泪就会忍不住流下来，想到阴阳两隔，天人永别，悲从中来，忍不住号啕起来，旁边的人听了也会鼻子酸酸的。

清明是大自然宣示万象更新、生生不息的日子，愿我们每个人都能慎终追远，守望家园，开拓未来。

立夏蛋

立夏是个重要的节气,标志着一年农忙正式开始。这天以后,农作物要陆续种植,一年的收成在这时要打好基础,农民也要开始夜以继日地劳作了。为了让家人在繁重的劳动中保持健康,增强体力,需要预先补充一些营养,于是就有了吃立夏蛋的习俗。

古人认为,立夏吃东西最补,吃一只鸡蛋相当于吃一只鸡,还认为立夏吃蛋能预防暑天常见的食欲不振、身倦肢软、消瘦等疰夏症状。这种说法与中医理论也是契合的。中医认为,鸡蛋性平、补气虚,有安神养心的功能,吃一个立夏蛋,既是对辛苦劳动的犒赏,也是对平安和丰收的企盼。

立夏的头天晚上,母亲拿出平时舍不得吃的十几个鸡蛋,洗干净后,一个一个放进烧甏内,加上老茶叶、茴香,再倒进一些酱油,埋进火缸内炖煮。第二天早上,鸡蛋早熟透了,而且鸡蛋里面渗进了茶叶的香味和酱油的咸味,我们兄弟几个早已迫不及待了,抢过一个,也不顾烫不烫手,轻轻地敲破蛋壳,不等把壳全部剥除,已经有半个鸡蛋下肚了。由于数量有限,吃了一个以后,母亲就不让我们吃了。

当时，我还在读小学，吃完早饭就要急急忙忙去上学。这时，母亲不知从哪里找了个用丝线织成的蛋袋，拿了一个茶叶蛋放入其中，挂在我的胸前，催我可以去学校了。到了学校，只见每个同学胸前都挂了个蛋，有的手中还拿了一个，都显得很兴奋。趁上课铃还未响，同学们便玩起了挂蛋的游戏。所谓挂蛋就是蛋与蛋相碰，谁的先破算谁输。挂蛋时，一般用蛋的大头，即里面有空气室的那头，也有调皮的同学，整只手捏住鸡蛋，让别人看不到他到底用的是大头还是小头，结果他赢了，输的同学一定要他把手伸开来，发现原来他用的是小头，因为小头尖硬，大头是挂不过的，就说他赖皮。课余，好多同学已经憋不住了，摘下蛋袋，把蛋吃了。

现在茶叶蛋已经不仅仅是立夏时的节令食品了，平时路边摊、点心店都有茶叶蛋供应，而且煮烧的方法也有了改进，放入锅内一起煮的调料更多了。但儿时用火缸炖的茶叶蛋的味道是始终不会忘记的，在我的心中，那是最纯正的茶叶蛋味道。

端午节

五月初五端午节，划龙舟，吃粽子，已经成为中华民族的传统活动。其实在我们家乡，龙舟是不划的，但粽子是要吃的。除此之外，还有其他一些乡俗。

称重。端午时已经进入盛夏，气温升高，病虫横行，人体消耗增加，劳动付出很大。一个夏天下来，人会变得清瘦，体重要减少好几斤。端午那天称称分量，到秋后再称一下，就知道这个夏天到底瘦了几斤。大人们会在仓库或轧米厂的梁上吊一杆大秤，由一人拨动秤砣，想称的人双手紧紧拉住秤钩，双脚缩起离地，如果秤杆上翘，秤砣向外拨，秤杆下垂，秤砣往里拨，找到平衡点，看准秤砣所在位置，报出刻度上的重量，97斤、105斤、145斤……听到自己的重量，大家都会议论几句，比去年重了两斤或轻了一斤等等，记在心上。

喝雄黄酒。雄黄其实是一种矿石，主要成分是砷，也就是砒霜，有毒，含强致癌物。古人认为，雄黄能"驱避百邪"，夏天"蛇虫百足"纷纷出笼，会伤及人体，端午喝一杯雄黄酒能够消毒除瘴。雄黄酒酒体呈金黄色，浓度很高，一般人喝时也只是咪上一口，做做样子。我们年纪小是不能喝的，大人只是在我们额头眉心间用雄黄酒点一个圆点或写上一个"王"字，表示驱邪。

吃倭豆饭。倭豆就是蚕豆，据说是戚继光抗倭时经常吃的，吃倭豆要先剥去外壳和里壳，只吃里面的豆瓣，寓意人们对倭寇的仇恨，恨不得剥其皮食其肉。端午，刚好是新鲜倭豆上市的时候，从田里刚摘来倭豆，便一颗颗剥成豆瓣，中午烧饭时与糯米混在一起，大镬烧，糯米饭黏韧，豆瓣粉香，两者合在一起，白间有绿，饭香豆香，即使没有菜，也能吃下去好几碗。但糯米饭不易消化，吃多了，容易腹胀，所以母亲不让我们多吃。

挂艾草。端午那天，家家户户门上都要挂菖蒲和艾草。目的是驱蚊驱虫，百虫不进。一边挂一边还要念："蚊虫哎，今末是端午节，侬要走进来，过了重阳节。"因为重阳节以后，天气转凉，蚊子已经不多，不会再叮咬人了。菖蒲叶形状像茭白草，但比较厚实，长得像宝剑，多生长在水塘、水沟边；艾草长在山坡、旱地上，两种植物都有一种特殊的气味，是蚊虫们怕闻的。采来后，把一支菖蒲一支艾草搭配好，用绳子扎紧，挂在门上。一挂就是几个月，直到重阳前后才取下来。

做年糕

冬至以后,农活少了许多,各家各户都开始考虑为过年准备年货了。过年时,年糕和汤团是必不可少的。年糕意味着年年高,期盼来年生活更好;汤团意味着团团圆圆,一家老小平安幸福。这两种食品当时只凭票供应给城市居民,农民都是自己做的。

年糕用粳米制作。当年的新粳米淘洗干净后,在缸里浸上两天两夜,捞起后,用石磨磨成米粉,一边磨一边掺水,五十斤的米要磨上半天。后来有了轧粉机就简单了,把湿米往进米口一倒,出口处流出来的就是米粉了。米粉装进白布袋,拿回家用木夹压干,第一道工序就算完成了。晚上或第二天一早,开始第二道工序。借来两个蒸桶,搁在大镬上,把米粉倒入里面,猛火蒸煮。蒸桶的形状像水桶,但没有环,上大下小中空,中间放一个天萝芯制成的垫,米粉就放在垫上蒸,每一次大概能蒸十几斤。蒸熟的米粉马上倒入室外的石捣臼里,捣臼旁放着一盆水,一个人抡起木杵往下面击打,一个人不停翻动米粉块。为了防止米粉粘在木杵上,也为了防止热米粉烫伤手,每翻一下此人都要用手去蘸一次冷水,并在木杵头上搭一下,如此反复,大概打砸几十下后,米粉里的韧性出来了，松散的米粉粒黏结在一起，变成了粉团，捣打结束。早有人捧起粉团放在长板案条上。木案一般要涂上一层黄蜡，撒上一些干米粉，以减少米粉的粘连。木案两边分别坐着三四个妇女，是专门做最后一道工序的。只见一人站立着，双手不停地搓捏那粉团，一会儿便搓成了圆柱形，并均匀地分割成一颗颗橘子大小的圆团，其他人再把那小圆团搓成长条形，用年糕板一印，一根年糕就做好了。考究一点的，还会在年糕的中间印上一个红印，以图吉利和美观。做好的年糕，每三根一排，横竖叠加码起来，大概十层为一叠。著名的慈城手工水磨年糕就是这样制作的。

做年糕是生产队里最热闹的场景之一。除了参与做以外，好多人都围着看热闹，特别是捣臼杵粉团的时候，一些年轻人都喜欢舂几下过过瘾。小孩子们则想搞点吃的，解解馋。预先买来油条、豆酥糖或拿来一碟咸菜，要大人们做一个年糕团。看着小孩眼巴巴地盼着，有人不忍心，便摘下一段粉，摊扁摊薄，放入油条或豆酥糖，再一卷，一个又热又香的年糕团就做成了。那小孩张口就咬，吃得津津有味。

年糕做成后，离春节还有二十几天，贮藏保管是个大问题。年糕晾干以后，会开裂发霉。但农民有办法，就是把年糕放入木桶，用凉水浸着，几天换一次水，保证不发霉不发臭，这种储存方法可以使年糕放上几个月。家里没菜了，就捞上几根做炒年糕、汤年糕，都是一家人喜欢吃的。如果过年有上海、宁波等城里的亲戚来，年糕也是非常好的礼品，而且乡下人大气，要送就一袋一袋地送。

糯米粉

糯米粉制成的食物煮熟后具有软、糯、黏、香的特点,是制作宁波汤圆的主要原料。每年生产队都要种上几亩糯稻,收获后分给社员,用来制作糯米粉。但糯稻的产量不高,一般晚粳稻亩产量可达七百至八百斤,糯稻却只有五百至六百斤,所以在粮食征购任务很重的情况下,生产队不敢多种糯谷,一般只种七八亩,能让每户社员平均分到百把斤就可以了。

糯谷收获后,其内部的淀粉结构还有一个变化过程。刚收下来,剥开谷壳,米粒的颜色多数仍呈玉白色,烧成米饭味道与一般的粳米相差不多,只有经过多次翻晒,米粒才会渐渐由玉白色转变成乳白色,糯性就出来了。因此,糯谷要比粳谷多翻晒两至三天,贮存一个月以后再去轧米效果更好。

进入腊月以后,社员们陆陆续续地把糯谷轧成糯米,然后根据需要,称上二三十斤至四五十斤不等,浸在陶缸里,两三天后捞起淘净,或用机磨或用石磨,磨成粉状,装入洋布袋。随后,在布袋上放一块木板,人踩在上面使劲蹬踏,挤干水分,便可以晾晒了。将糯米粉掰成约0.5厘米厚、5厘米长的条块,放在竹匾上晾晒,每个竹匾大约可以晾四至五斤的粉,多的人家有十几匾,每只匾中间都会压上一小张红纸，以祛秽气避鬼邪。晾晒的地方选择在矮墙或小屋顶上，防止鸡狗糟蹋。晾晒过程中，有些糯米粉的表面会呈现红色，这时主人会感到紧张，因为按迷信的说法，这些糯米粉被鬼摸过了，人吃了会生病。实际上，这是糯米在浸泡时起了化学反应所致。糯米含的是支链淀粉，遇到碘会变红色，即使变色了也是无毒无害的，但农民们并不知道原委，只能怪罪鬼神了。

晾干以后，把糯米粉装入甏内，放在干燥的地方，就等过年时使用了。年三十的下午，家家户户都会做汤圆。拿出糯米粉，掺上适量的水，搓成长条形，再一小块一小块摘下来，摊成粉皮，嵌入猪油桂花白糖馅，再搓成小圆团，一颗汤圆就做好了。年夜饭最后一道点心就是汤圆，每个人吃上四五颗，寓意一家人团团圆圆，圆圆满满。大年初一到元宵，几乎每天都能吃上几颗汤圆，一年在汤圆味中结束，也在汤圆味中开始。

杀猪

猪是农家宝。那时几乎各生产队都建有养猪场，规模一般在100头左右，主要出售给国家，供应城乡市场。社员也几乎家家养猪，一般是两三头，以出售给供销社为主，如遇上红白喜事，也有忍痛宰杀的，过年时也有杀一头猪供几户人家食用的。

农家养猪以经济为原则。喂猪的饲料一是谷糠，二是下脚蔬菜和青草、水草，都是不用花钱的。谷糠是粮食的副产品，农民用于喂鸡喂猪；家里小孩子除了读书以外，还有一项重要任务就是割猪草，每天都要割。由于饲料营养比较差，猪长得慢，一般要养十个月甚至一年才能出栏。

出售给国家的生猪，出栏是有标准的。首先是重量，必须达到120斤以上，然后检验体形、膘厚、毛色等。一番折腾后，检验员会报出一个数据：68刀或70刀。所谓"刀"就是一头猪去头去尾去下水后的出肉率，"68刀"就是100斤毛猪可以出68斤白肉。如果这头猪刚好120斤重，估的是68刀，可以出肉81.6斤，这头猪就可以成交了。这里有一个非常重要的指标，就是一头猪所出白肉必须在80斤以上，否则就不合格。农民把一头猪五花大绑抬到供销社门口，检验后，最关心的就是检验员口中的这个数据。"68刀"放心，"70刀"开心；

如果报出来的是"65刀",这个农民的脸就黑了。"65刀"意味着白肉不到80斤,这头猪不合格,只好抬回去再养。

杀猪对于农家来说,无疑是件大事。户主心里又是欢喜又是舍不得。欢喜的是过年过节一家老小可以吃上几天肉,肚子里有油水了。舍不得是因为辛辛苦苦养了十个月,本来卖了可以换现钱,现在变成了下饭菜。但既然定下来了,就顾不得许多了。算好日子,约定了杀猪屠,借来大木桶、长板凳等物件,把准备工作做妥了。

到了开杀那天清早,请来几个帮手,杀猪屠一到,几个人从猪圈里提出待宰的猪,把它牢牢按在长板凳上。只见杀猪屠抽出一把长约30厘米的尖刀,捅向猪脖子的下方,刀尖直抵猪的心脏,猪血喷涌而出,流向长板凳下面的一个装有少量盐水的面盆。大约过了五分钟,猪的血基本流干了,抽搐也无力了,行将毙命。这时,杀猪屠会在猪的一条后腿的脚趾分叉处,割上一刀,然后拿起一根大约长180厘米的铁棒,从这个刀口往里捅,目的是使猪的皮层与肌肉分离,为后面煺毛做准备。做完这些之后,主人把烧好的开水倒入大木桶里,杀猪屠试试水温把整个猪浸入其中,开始煺毛。煺毛比较花功夫,大多数毛被热水一泡,脱落了,但还有不少需要另行处理。于是杀猪屠再把猪捞上来,搁在大木桶上面的两根木棍上,捡起那条割过一刀的腿,往里吹气,渐渐地整个猪像气球一样鼓了起来,再用麻绳把那条腿扎紧了,防止漏气。然后杀猪屠就开始刮毛作业,不一会儿,整个猪变得雪白粉嫩,表面全部弄干净了。接着就是开膛剖肚。杀猪屠换了一把大刀,先切头切尾,并把猪身切成两半,取出内脏,分门别类进行处理。

杀猪屠一般是不收劳务费的,主人家会把一副大肠或小肠送给他作为酬劳,同时说上几句感谢的话。

掸尘

好多人都以为农民不讲究卫生,家里鸡粪遍地,垃圾成堆,灰尘扑面。城里人到农民家做客,要踮着脚走路,碗筷要重新用开水泡过,其实并非如此。的确有些农家比较邋遢,但多数人家还是过得去的,个别的更是窗明几净。

农民家里给人不卫生的印象,原因是多方面的。首先是为生活所迫,养猪养鸡。农民几乎家家户户都要养十几只鸡,养一两头猪。鸡是散养的,人吃饭时,它们就在桌子底下,饭菜掉到地上,就成了它们的美食。院子也是它们觅食的去处,鸡爪子刨地,刨出来的小虫、蚯蚓可供一饱口福。吃了就要拉,地上有些鸡粪也属正常。猪是圈养的,有专门的猪圈,喂猪的是米糠和泔水,看上去脏兮兮的,猪又是吃、拉在一起的,猪粪便的臭味会不时散发出来,让人闻之难受。锄头、钉耙及便桶是农具,生产劳动中不可少。多数人家没有专门放农具的库房,收工以后,农具要么放在屋檐下,要么放在厨房里,看上去不整齐,有点乱。下田干活,身上经常沾上泥巴、粪便或草儿花儿等,脏手脏脚脏衣服地回到家里,整个人看上去也是脏的,农民喜欢这样吗?当然不是。女主人每天都要洗洗刷刷扫扫地,整理一下衣服,当然也不可能搞得很洁净,好在也不会经常有客人来,家里人也都习惯了。

但是,每年农家会彻彻底底、里里外外地搞一次大扫除,这就是过年之前前的掸尘。腊月二十左右,各家会在某一阳光明媚的日子开始掸尘,女人们负责洗被子、床单、蚊帐等床上用品,还要用抹布把移动不了的家具全部擦上一遍。男人们则负责清除房间里的积尘,把窗户卸下,把碗橱、饭桌等抬到河埠头清洗。比较难洗的是碗橱。我家那个橱是老式的,有好多扇门,有好多的木格子,要先把门和可以活动的构架拆下来,分别加以清洗,这些东西浸到水里后,必定会浮起几只蟑螂,真的很不卫生。洗完后,这些大家具要先靠在墙上晾晒,干了以后再搬回原地方,床单等则晾在竹竿上或干脆拿到小山顶上的草皮上晾晒。

搞完这些,便转入扫地、清理垃圾环节,扫地简单,用竹扫帚里里外外、仔仔细细用力清扫就是了,清理垃圾就要花点功夫了。垃圾既是废物又是肥料,不能随便倒掉。我们家的垃圾堆在后门旁,几个月没有清理,已经有好大一堆了。我们两兄弟拿一把钉耙,一把扫帚,一只竹箩筐,一只竹筛,一只畚斗,开始工作。一人拿畚斗铲垃圾,一人拿竹筛筛垃圾,漏下的作肥料,漏不下的是废物,整整忙了一小时才处理完毕。经过一天的劳动,家里干干净净,尽管流了汗出了力有点累,但看到家里清清爽爽的,心里却很舒服。

喝酒

说起喝酒，可有一大堆故事。有喝酒后夫妻反目的，有喝着喝着掀了桌子的，有喝酒回家路上跌得鼻青脸肿，甚至掉到河里的……但种田的又离不开酒，累死累活一天，回到家总得喝上几口，以消除疲劳，促进睡眠。有些有酒瘾的，一日三餐都要喝，成天迷迷糊糊的，可活还是照样干。好在当时买酒要凭票，票用完了就没得喝了。即使过年自己可以酿一缸，过了年后也喝得差不多了。所以，喝醉的时光很少。

可以放开大喝的是婚嫁、小孩满月、老人做寿及春节期间，亲朋好友济济一堂，一张桌子团团坐，有男有女，有老有小，欢声笑语，家长里短，好不热闹。喜欢喝酒的青壮年男人会很自然地凑到一起，大家你敬我我敬你的，干上了。不知谁喊了一句：我们划拳吧，我先打庄，然后大家轮着做庄。于是一呼百应，大家纷纷响应道：划就划，谁怕谁呀。接着打庄的就宣布规则，主要是三条：一是决定"独记头"，还是"抢二"或"抢三"。"独记头"意为一拳决胜负，谁输谁喝；"抢二"就是二比一为赢；"抢三"比较复杂，一方要连续胜三拳才算赢，比如某一方先胜，记得一分，下面一拳另一方胜，则原先胜一方的分数归零,变成了后胜方的分数。所以"抢三"比较容易形成拉锯战,对喝过酒的人来说,多喊几声对缓解酒劲有帮助。二是"黄拳"要处罚。划拳时双方各伸出一只手,共十根手指,喊的数从零到十以内可以随意,这是每个人都不会搞错的,总不至于喊十一、十二,但不大熟练的人划拳往往口手不一,经常伸错指头或叫错数字,比如你伸出两个指头,口里喊出的却是"八仙好啊",即使对方五个指头全部伸出来,五加二也只有七,这就算是"黄拳"了,要另外加喝一杯。三是"除五除十",就是不能叫带五带十的数。待大家都表示同意了,划拳正式开始,一般按顺时针转,上一人输赢三次后转到下一人。趁他们还没伸出手之前,先交代一下从零到十的划拳口诀:

零:宝一对

一:一定恭喜侬

二:哥俩好

三:三星照

四:四喜财

五:五魁首

六:六六顺

七:七(乞)个巧

八:八匹马

九:九(酒)快来

十:全福全

每句口诀后面都会加上一个"啊",这样喊起来比较顺口。这时早见两个人干上了,只见两只手臂一伸一缩,五个手指不停地张开收拢,嘴巴像爆芝麻一样"乒乒乓乓"喊出不同的口诀,让人眼花缭乱,手指数也数不过来,一眨眼就是十几个回合。忽然一个人停了下来说"你输了,我赢了一记",对方说"是的",便又伸出了拳头。一两分钟后,其中一人便败下阵来,端起一杯酒"咕咚咕咚"喝了下去。如果这个人连输三杯,众人便会起哄说要"拆开","拆开"的意思是至少你要赢回一杯,不能输得精光,才能轮到下面一个人接着划。那就继续来吧,但有时运气差,会连续输下去,这时输的人可以主动邀请某一划拳技术好的人帮着"拆"。一圈拳头划下来,众人酒也喝得差不多了,菜盆子也空了,时间也不早了,于是一哄而散,大家各自醉醺醺地回家去了。这时主人开始收拾碗筷,抹桌扫地,虽说辛苦,但让大家吃好了,心里也高兴。

  酒这种东西有两面性,喜庆的时候用它增加气氛,悲伤忧愁的时候,用它来发泄情绪,适量喝一点还可以消除疲劳;但酒喝多了伤肝伤胃,损害健康。朋友之间喝酒,叫"酒逢知己千杯少",可真的喝多了,掀桌子、相互打得头破血流的也不少。所以喝酒要节制,酒桌上以少劝酒多吃菜为好。

搭老酒

老酒就是米酒，我们那里又叫白酒水。过去老酒是凭票供应的，一个月只能买五六斤老酒，远远满足不了喜欢喝酒人的需要。自己家里做点米酒，一来喝起来方便，不用花钱不用票子想喝就喝，二来过年时亲戚走动，也需要酒水招待。所以，多数农村家庭都会利用节省下来的粮食酿些老酒。

酿老酒，宁波人叫搭老酒，原料是糯米或粳米，时间一般选择在春节前一个半月左右。预先要把米浸在缸里，让它吸水膨胀，直到米粒看上去像石灰一样白，用手能捻碎时，捞起来晾干，然后放入蒸笼蒸熟。如果做的量大，需要蒸五至六次，把蒸熟的米饭，倒入一只大白篮里，让其自然凉到和人的体温差不多，然后拌入酒曲。酒曲又叫白药，比较简单的制作方法是：米粉加辣蓼草汁或干草粉，加少量水揉作丸，放在竹席上，以青树叶覆盖，等过几天长出白毛，丸体发热，去掉覆盖物，再过几天降至常温并逐渐干燥，移至阳光下曝晒几天，晒到极干即成。

一般农户并不会做酒曲，搭老酒时或买或由朋友赠送获得。酒曲要拌得均匀，放多放少没有定规，全凭经验。酒曲放得多，以后老酒酒精度高，饮之比较容易醉,而且味道有点苦;放得少,发酵后,有可能使酒体发酸,所以掌握酒曲的量至关重要。

拌好酒曲后的米饭,放入洗干净的酒缸里,一层层地叠上去,轻轻地压结实,中间要留一个可乐瓶大小的孔,以利通气。然后在缸的四周绑上稻草,盖子上裹上棉被,进行保温。两天后,在酒曲的作用下,酒缸里的米饭开始发酵,用手摸缸体,能感觉到温热。一周后打开看,中间那个孔里已经有少量的酒液。十天以后已经酒香扑鼻,酒体上溢,米糟漂浮。这时,按米酒比1∶3的比例,加入冷开水,再盖上缸盖。两三天以后米酒就可以喝了。

喝米酒时,一般要加热,口感醇中带甜,但后劲大,酒量不大的人尤其要当心,防止不经意间喝醉了。

嗑瓜子

土地是万物之母，它慷慨地奉献给我们享之不尽的食物，只要你辛勤劳作，就能收获你想要的。我们做农民时，除了为填饱肚子种植水稻、油菜等粮油作物外，还利用房前屋后、山坡杂地种植茄子、夜开花、番茄、西瓜、南瓜、向日葵等经济作物，作为主粮的补充。

南瓜、西瓜在果实部分食用后，籽也是要收起来的。吃西瓜时，籽都吐在桌子上，收集后用淘箩装起来，在河里洗干净，晒干收藏；南瓜籽也一样，把它们从瓣上一粒粒抠出来，洗净晒干收好。

夏天的晚上，吃完饭收拾好碗筷，一家人各搬一把竹椅子，坐在门口乘凉，一边仰望满天的星星，浮想联翩，一边摇着席草扇享受片刻的惬意。忽然，飘来一阵香味，原来是母亲端着两盘瓜子走了过来，起身一看，一盆是南瓜籽，一盆是西瓜籽。不等放下，我们几个兄弟便把手伸了过去，满满地抓了一把，还有点烫手。一粒粒往嘴巴里送，牙齿嗑开壳，舌尖拨出籽，吃得津津有味，啧啧有声。南瓜籽壳薄仁大香味足，西瓜籽壳厚仁厚味醇，我们都喜欢吃。就这样一边嗑着瓜子，一边天南海北、有一句没一句地聊天，一直在星光下坐到十点左右。夜深了,门口吹来一丝丝凉风,是睡觉的时候了,母亲也催着我们进屋休息了。于是我们一个个打着呵欠、揉揉眼睛上床去了。只留下满地的瓜子壳,一片狼藉。母亲早已拿着扫把畚斗,开始清扫了。

  向日葵长着高高的个子,顶上托着一个圆圆的花盘,开花时会追随太阳转变花盘方向。葵花籽在秋后才比较饱满,一般我们每年都种上十几二十株,成熟后,用菜刀把花盘一一砍下,用手使劲地把里面的籽搓下来,晒在竹匾上,干了以后收进木桶内,总共有三四斤左右。葵花籽我们平时基本不吃,要留到年三十和春节拿出来。客人来了,端出一盘炒葵花籽、一盘炒花生,再泡上一杯茶,就是很好的招待了。

苋菜股

苋菜大众化的吃法是炒叶子吃。可我们那儿吃的是它的茎。苋菜在四月中下旬播种,七、八月份收获。我小时候,家里每年都要种苋菜,待长到差不多和人的身体一样高的时候,把它们连根拔起背回家,那时刚好放暑假,母亲会叫我坐在家门口阴凉的地方清理苋菜。先把苋菜茎上的叶子全部捋掉,用菜刀把其根部削干净,留下一根光溜溜的茎干,再把茎干切成一段段的,每段约有大拇指么长,拿到河埠头洗干净。

那时没有冰箱,农民吃的食物包括菜、冬瓜、茄子、茭白甚至鱼肉都是用盐腌制的,不仅一年到头都可以吃,而且风味独特,百吃不厌。苋菜的茎干也一样,要用盐腌,做成苋菜股。腌苋菜股有两种方法:生腌与熟腌。生腌就是把茎干先放在木桶里用水浸上几天,待茎的表皮自动脱落了,洗净再放进瓮里腌,堆一层撒一层盐,然后盖上盖子放在遮光阴凉处,让其发酵熟透。二十几天后才可以吃,外硬内烂,嘴巴一吸,里面的肉全部进入口中,有点咸,有点酸,有点鲜,有点臭,回味无穷。熟腌就是把苋菜茎煮熟了再腌,腌制的时间缩短了,但味道不及生腌的鲜。

苋菜股是"长下饭",可以一直吃到第二年春天。吃法也很多:生吃,上面滴几点麻油,特别香;蒸着吃,在烧饭时,饭镬上面放一只羹架,羹架上放一碗苋菜股,利用饭镬里的蒸气蒸熟,又是另一种味道;与鱼或猪肉混在一起蒸,苋菜股的味道与鱼、肉味道相互渗透,风味独特。

宁波农村有句老话:"苋菜股,盐茄糊,肚皮喫勒急鼓鼓。"这说明宁波人爱吃苋菜股,也说明苋菜股能开胃,用苋菜股下饭,胃口就来了,能多吃几碗,以至于肚皮吃得胀起来了。

腌咸齑

宁波老话说:"三天不喝咸齑汤,脚娘肚有眼酸汪汪。"意思是有段时间没喝咸齑做的汤,连走路力气都没了,说明宁波人对咸齑的挚爱。

所谓咸齑,就是咸菜,北方人叫酸菜。宁波人做咸菜的主要原料是雪里蕻,一种像芥菜的蔬菜。雪里蕻在我们这里可种两季,当年十一月份种,次年一月份收的,叫冬雪里蕻;一月初种,三月底收的,叫春雪里蕻。因为经过严冬的冰雪,冬雪里蕻的叶子比较厚实,养分积存比较多,所以质量比春雪里蕻要高,腌后味道也更好一些。

那时候,几乎家家户户都要利用自留地种雪里蕻,有的甚至会种上半亩地,自己吃不了就送给邻居。收割后,要先把雪里蕻在阴凉的地方晾上几天,待菜叶微微发黄再作清理,去掉老叶烂叶,削去菜根,挑到河埠头清洗,几百斤的菜要洗上半天,然后沥干水分,准备腌制。

腌前,需要准备一只大瓦缸,腌的量大要用七石缸,买几十斤盐。然后洗净缸体,在缸底撒上一层盐,铺一层菜,再撒一层盐,再铺一层菜,大概放到两尺高的时候,主人会叫十几岁的儿子过来,让他洗净双脚,跳进缸里,使劲踩踏，直到雪菜微微出水。就这样，一层层加菜加盐，一次次踩踏，直到离缸口20厘米左右。装满了，主人找来两条和缸直径相当的竹棒，呈十字形撑在菜面上，再在上面压一块几十斤重的石头，防止菜浮起来。这块石头，我们叫"咸齑石头"。这个名称后来也用于称呼那些管理压制下级的领导、管家。单位里如果今天领导不在，就有人说："今天'咸齑石头'没了，大家可以自由点。"

一周以后缸里已经溢满了水，这些水都是从菜里渗出来的，菜的颜色也由黄绿变成了青绿，这种状态我们叫"转味"，说明盐水已经进入雪菜体内，雪菜正在向咸齑转变。但此时还不能吃，因为这个时候雪菜的亚硝酸盐含量最高，吃了容易致癌，一直到一个月以后，菜色变成土黄，才是真正腌熟了。

一缸咸齑成了农家一年四季的"下饭"，每天做饭时都要取出一两棵，或生吃，或炒肉丝，或与番茄一起用来煮汤。味道鲜美，开胃乐胃。

嫁 囡

二十世纪六十年代,有一部电影风靡一时。电影叫"李双双",描写的是一个农村妇女李双双自强不息、艰苦创业的故事。其中有一个细节,就是李双双和她的丈夫说"我们是先结婚后恋爱",说明他们的婚姻并不是自由恋爱的结果。过去农村比较闭塞,人一生的活动半径非常小,接触的也只有生产队、生产大队,至多是一个公社里的人。自由恋爱的男女青年很少,除非同一个村庄,从小青梅竹马,最终喜结连理的。大多数青年男女是靠媒妁之言、父母之命而缔结婚姻的。

我家邻居有一位姐姐,是独生女儿,二十好几了,还没对象,父母着急,托媒人介绍,与隔壁公社的一个年龄相仿的男青年谈上了,双方家长都觉得满意,男女当事人也对了眼,总算修成了正果。双方约定第二年春节举行婚礼。可结婚就没有这么简单了,男方首先要满足女方提出的彩礼要求,彩礼不是实物而是现金,当时的要价大概是五六百元。男方的钱到手后,女方开始筹备嫁妆,嫁妆多少、质量高低,事关女方的面子和女儿在夫家的地位。因此,女方家长即使贴钱也要把嫁妆置办得体面一点。

婚礼前一天，女方把嫁妆浩浩荡荡地抬到夫家。嫁妆以杠为单位，一般人家嫁囡，嫁妆约为四到六杠，稍微富裕的有六到八杠，再好的有十杠以上。陪嫁过去的物品有棉被、毯子、马桶、樟木箱、皮箱、痰盂、脚桶、饭桶、面盆、毛巾、热水瓶、梳妆台、针线盒等，好一点的还有缝纫机、台钟等工业品，这些东西都装在元宝篮和竹箩里，以两人抬或一人挑为一杠，杠数越多越气派。我们邻居女儿的嫁妆有六杠，也不失面子了。嫁妆经过的村庄，人们都会出来观看，并评价一番，无非是说这户人家穷，那户人家富，并无恶意。

第二天是正日子，上午新娘要穿上嫁衣，梳洗打扮得干干净净、漂漂亮亮的等待新郎前来迎亲。新郎要把新娘接走可不是件容易的事，进门前设有重重关卡，只有满足了条件才能放新郎进来。当时既没有花轿也没有轿车，新郎接新娘用的是自行车，新娘出门脚不能落地，要由哥哥抱到新郎的自行车上，据说是为了防止新娘把娘家的财气带走。新娘坐上自行车后座后，新郎便喜滋滋地当起了驾驶员，并由伴郎、伴娘们护驾，沿着机耕路渐渐远去。这时也就到了中午时分，女方的婚宴正式开始。大家吆五喝六，大碗喝酒、大口吃肉，热闹非凡，免不了有几个人倒在酒桌下。

第二天早上，女儿女婿带着礼品回娘家，表达对父母的感激，对家乡的眷恋，这叫"回门"。下午，新人就要回自己的家了，丈人丈母娘怕女儿寂寞，又派了儿子和邻居的男丁四五人作为阿舅陪同送到女儿家。那天晚上，阿舅们几乎个个酩酊大醉，跌跌撞撞、摇摇晃晃回到家里，什么都不知道了。

女儿嫁出去了，家里空荡了好多。原来女儿做的事情现在没人做了，父母亲有深深的失落感，但心里在祝愿女儿幸福快乐，夫婿体贴，早生贵子。

探亲

我七岁那年的暮春,母亲做了个决定,去外婆家探亲。这可把我高兴坏了,因为我长到七岁还没出过远门。似懂非懂的年龄,是最希望到外面见见世面的。

外婆家在绍兴的乡下、会稽山的深处,去一趟着实不容易。母亲也是差不多二十年没回去了,好在那边传来消息,外婆健在,舅舅、舅母及表兄妹们都过得还可以,也希望嫁在外头的母亲回去看看,叙叙亲情。母亲思乡心切,草草准备了一些诸如红枣桂圆、咸鱼之类的礼品,就带着我上路了。

到绍兴要坐火车。我们家离火车站有十里路,要走一个小时多一点,早晨出发到火车站已是十点钟了。当时火车班次少,又是站站都停的慢车,待我们坐上火车,到绍兴站下车,已经是下午两点多了。再打听明白汽车站在哪,赶到那儿差不多已是三点了,好在那天运气好,马上就买到了下一班的长途汽车票,但也等待了一个多小时,随着人流匆匆上车。找到座位,放下行李,汽车就开动了。那是我第一次坐汽车,看到汽车顶上有一个大包袱,车子一动就晃来晃去的,不知是干什么的,还以为是人家的行李,后来才知道这是天然气囊,当时我们国家贫油,汽车烧的是天然气。

汽车缓缓起步,缓慢行驶,沙石路上尘土飞扬,一站一站停过去,大概两个多小时后,到了我们下车的站。母亲急忙招呼已经睡眼蒙眬的我,牵着我的手下了车。

这时,天色已经全部黑下来了,还下着毛毛细雨,车站附近一无所有,只有一块站牌突兀地立在那儿,标明这里是什么地方。母亲一手提着行李袋,一手牵着我,朝前走去,朦朦胧胧中看到路边有几幢破草房,于是大着胆子前去敲门。不一会儿,有人开了门,问我们有什么事,母亲如实相告,要到这里附近的一个村庄探亲,那人问清是什么村找什么人,母亲一一作答。这个人看上去有五十几岁,听了母亲的话,马上说:"你说的村庄和人我都认识,但这村离这里还有四五里地,我陪你们去吧。"真的遇上了好人。

那人家看上去也很穷,屋内黑咕隆咚的,没有煤油灯更没有电灯。只见他回屋内拿了几根竹篾,用火点燃了,充作火把,便陪我们上路了。其实,那天晚上走的并不是路,充其量是一条条的田埂,泥泞不堪。我们就这样深一脚浅一脚地艰难跋涉,差不多经过一个小时,才隐隐看到一个小山村。那人说,你外婆家到了,村里也传来了狗叫声。母亲在火把的照耀下,开始认得了路,情绪也有点激动,只见她加快了脚步,朝着一间泥房走去。到了门口不是先敲门,而是先叫开了:"姆嬷,姆嬷(绍兴人称妈妈为姆嬷)!"她的妈妈就是我的外婆,只听里面问道:"啥人啦?"我妈答道:"我是三妹(我母亲排行老三)。"外婆忙不迭地起来开门,见是我们母子俩,已经激动得不知说什么好了,一把把我抱进屋里,第一句就问"吃饭了吗",我摇摇头,这时早已惊动了住在隔壁的舅妈,她披着件黑黑的夹袄,走过来拉着我母亲的手,含着泪,连连叫着"三娘、三娘"。那种久别重逢的亲情，至今回想起来，我还忍不住热泪盈眶。

千恩万谢送走那个带路人，舅妈开始为我们烧饭烧水，一碗白菜咸齑，一碗绍兴霉干菜，一大碗米饭，在我眼里都是美味佳肴。母亲好像吃得不多，一直和外婆、舅妈在说话，说得最多的是离别之苦、思念之情。

造房子

改革开放前,多数农民是造不起新房子的,住的基本上是祖传的老屋。贫雇农的住房有些是解放初土改时从地主富农手中分过来的。即使是老房子也缺钱维修,倒了山墙,坍了围墙,摇摇欲坠的房子每个村庄都有。

但也有例外,如房子小,子女多,而大儿子马上要结婚办喜事了,实在没有其他房子可以腾出来做婚房,父母亲只能咬咬牙下决心造一间新房。

造房子要买木料、砖头、瓦片、石灰等建筑材料,要付木工泥工的工钱,还要一天三餐的伙食,积蓄的钱实在不够,只能厚着脸皮东借西凑。等到材料齐备,批了宅基地,选定吉日就可以开工了。动土前要摆上一桌,礼请土地公公,并烧纸钱,祈求保佑平安。

为了节省砖头,墙脚至半米高的位置是用平时山上捡的或从倒塌的老房子那里拆过来的石头垒起来的,上面的墙体也不是实心墙,而是中空的斗墙。砌好墙后就是上梁。

上梁关系房子的阴阳风水,要选日子定时辰。确定以后,要通知亲朋好友、邻舍隔壁,大家都要前来祝贺。贺礼都是印着红印的白糖馅馒头,意为红红火火,甜甜蜜蜜。时辰到了,只见十几个人,一半在地上,一半在墙顶上,大家抬的抬,拉的拉,把挂着能够祛邪避灾的红布的顶梁架了上去,这时鞭炮响了起来,上梁馒头抛了上去,大人小孩欢呼雀跃,共同庆祝上梁成功。下一个节目就是喝上梁酒,客人和帮忙的朋友都会受到邀请,敞开肚子吃上一顿。由于参加的人数众多,大概要开十几桌,家里没有这么大的场地,就借用生产队的仓库或在晒谷场上办。上梁以后,房子远远还未造好,还要钉椽子,盖瓦片,抹石灰,铺地平,做门窗,忙活半个月才能全部完成。

房子造好了,儿子勉强有了婚房。但父母亲头发白了一圈,人瘦了一圈。想到还负着几百元的债,心里沉甸甸的。只有付出更多的劳动,一家老小勒紧裤带,才能早日摆脱债务。

做产

"十月怀胎，一朝分娩。"生儿生女是家庭的头等大事，媳妇做产前，一家人早早就忙碌起来：娘家要送来小孩子的衣服、毯子、尿布，以及产妇吃的长面、红糖、鸡蛋等，叫作"送生母信"，含有催生的意思；婆家要准备好摇篮、奶瓶、煤油炉等母婴用品；孕妇则挺着大肚子仍然忙里忙外地干活，直到肚痛临产。

那时，农村生小孩，一般都在自己家里生产。一个大队里总有一两个会接生的老婆婆。接生婆要预先约好，待到孕妇肚子开始阵痛，做婆婆的就会忙不迭地出门去请。接生婆也没什么医疗器械，只随身带一把剪刀。婴儿出生后，剪刀在煤油灯上炙烤一会儿，算作消毒，便用来剪断脐带。听我母亲说，婴儿出来后，如果胎盘还在产妇的肚子里，要让产妇口含扫把柄引起恶心，把胎盘挤出来，反正我没见过，不知真假。

当接生婆宣布生了个大胖儿子时，全家人便笑逐颜开，欣喜异常，可以传宗接代了；如果宣布生了个"千金"，便有人说："也好，也好，以后做爸爸的有酒喝了。"可见农村重男轻女的思想根深蒂固。

妇女做产时有许多风俗和禁忌。产后产妇第一次进餐，要吃红糖长面，据说有滋补作用；产后如果奶水不足，要喝鲫鱼汤，再不行要喝蚯蚓面汤；为防止产后受凉，产妇的额头还要系上一条丝巾，一个月内不能洗头洗澡。做产的房间叫"红房"，满月前，除自己的丈夫外，其他成年男性不得进入，这么做一方面是为了避免男人们与产房里的秽气接触，另一方面也是为保护产妇不被惊扰。满月那天，要隆重地庆祝一番，主要做三件事：一是剃满月头。有请理发师到家里剃的，也有到理发店剃的。剃完后，奶奶要把胎发用红绸包起来，长期保存，现在更讲究了，有的请人制成胎毛笔，有的拿出一绺让人装入有机玻璃，制成刻有婴儿姓名的印章，永久保存。二是办满月酒。宴请街坊邻居、亲朋好友。婴儿的母亲或奶奶抱着婴儿，与长辈们一一见面，接受祝福和礼物。三是送红蛋。把鸡蛋、花生染成红色，分送给街坊邻居们，让众人共享喜悦。我老家那边还有一个风俗，就是在满月日，母亲要抱着婴儿走过一座桥，祝福儿女一生走得顺直，不会磕磕绊绊。

　　有了下一代，做父母、长辈的，当然开心，但要养大成人，不知要付出多少艰辛，花费多少心血。

肚仙

宁波人称之为"肚仙"的，其实就是女巫、神汉。对肚仙比较恰当的解释是："女巫，能召死去的人进入腹中与活人问答，装神弄鬼以骗取钱财。"也就是说，肚仙能使死人与活人对话，手段是装神弄鬼，目的是骗取钱财。事实上，农村有许多人，特别是中老年妇女十分相信肚仙。一到特殊时期，如家里有亲人生病，想寻找原因，或有亲人去世，想知道亲人在阴间过得好不好时，她们就会找到能通阴间的肚仙婆讲讲，以求得精神上的安慰和解脱。

我没有去现场听过讲肚仙，也不相信肚仙的话，但我母亲和姐姐是去过的。母亲回来后给我们兄弟几个详细说了讲肚仙的场景和内容，并言之凿凿说"很准很准"。我知道，我们村子里是没有肚仙婆的，这个肚仙婆是外地请来的，借住在别人家里，我母亲去时，她已经讲了好几天、好几户人家了。她说，到了那里，只见屋里屋外挤满了人，都在悄悄地说着各自的情况，并啧啧称奇。房间内香烟缭绕，一个五十岁左右的女人处在中心位置，正谈笑风生。忽然见她脸色一变，目光变得朦胧起来。她一边指着对面一个女人说"你来了，正好止步"，一边喉咙里发出"咯哒咯哒"的怪声，肩膀一耸一耸的，双足快速跳跃，看样子是鬼神附体了,当事人的说法叫"进位"了。接下来肚仙婆的状态就更怪了,口里讲的是男声,动作也是男人的动作。那个女人惊呆了,肚仙婆的口气、动作与她死去的男人简直一模一样,于是,眼泪就不由自主地流下来了。肚仙婆叫着她的名字,说她受苦了,并把她的几个儿子、女儿的名字一一准确地叫了出来,叮嘱他们好好照顾妈妈。最后肚仙婆话锋一转,叹了口气说:"我在那边钱不够用,家里的墙又坍了。"说完这些,肚仙婆便没声音了。过了几分钟,她便恢复了正常,吩咐那女人可以出去了。

听说那女人回去后,伤心了很长一段时间,回忆起老头子死了以后,烧给他的香火、纸钱和佛经是少了点,心里很忐忑。第二天,她又叫儿子到坟头看看,发现真的有几块石头塌落下来了。接着几天便是念佛烧香,修缮坟墓,了却心愿。

对于肚仙婆的作为,我尽管不相信,但至今也没想明白她到底是怎么知道人家家里情况的,连名字都说得这样准,又没去过坟头,怎么会知道坟有点坍呢?难道她事先做过调查摸过底,或者是从当事人的口中套出来的?也不像。反正肚仙婆迷惑了好多人,希望有人能给予科学的解释,戳穿里面的把戏。

念经

宗教信仰靠外力是很难遏制的。"文革"中佛像被毁,庙宇被封,僧侣还俗,宗教活动被当作封建迷信被全面禁止,但还是有不少老太太暗地里烧香念佛,膜拜菩萨。老人们心中有佛,相信来世,想通过念经拜佛,祈求佛祖保佑全家消灾解难、安康幸福,子女成龙成凤,自己能在来世过上好日子。

我家隔壁有一阿婆,梳绕绕头,缠小脚,是个虔诚的佛教徒,年纪大了也不用参加劳动,天天在家里拜佛念经。小时候,我经常到她家去玩,听她念经。只见她坐在八仙桌旁,桌上点一炷香,放着印有佛和菩萨像的黄纸,还有一只装着橘红色颜料的小碟,小碟里插着半截香梗。念经时,她手持佛珠串,念一遍经,拨一颗佛珠,佛珠串有一百零八颗珠子,念一轮就有一百零八遍,佛珠串上面还有两个分支,分支里各有八颗小珠,一轮念下来,就将分支里的小珠往下拨一颗,以记录当天共念了几遍经。念完以后,便用那香梗在纸上点色——蘸一点颜料,印在底纹为菩萨的小圆圈里,一边点一边口中念念有词:"点之金,点之银,点点是金银。"这些点过的纸,就变成了冥钱和护身符,会好好积存起来,在清明上坟,祖先生日、忌日,过年祭祀时烧了,送给去世的亲人或孝敬菩萨。

阿婆念经,我们只听懂一句"南无阿弥陀佛",其他的就不明白了,回到家会问母亲,母亲略知一二,说:"阿婆念的可能是《心经》《大悲咒》《金刚经》《地藏经》。"我听了也不懂,只是有了一个大致的概念。除了这些正规的佛经外,民间出于消灾灭祸、保佑太平的需要,自编一些口口相传的经诀,在特定的场合下不断念叨。如家里人上山砍柴,老人怕出意外,会念《斫柴经》:

　　斫柴念佛求观音,

　　大风来,梧桐树,

　　救苦救难观世音……

又如想化解与别人的矛盾,会念《怨结经》:

　　念念怨结经,

　　潮不涨水不积,

　　大佛面前解怨积。

　　解掉前世结,

　　解掉今生结,

　　解掉五百年前怨家结。

一个人念着这种内容的经,心情会平静下来,长期郁结的怨气就不同程度地化解了,人与人之间的矛盾也可能缓解了。

后 记

这本书所写的点点滴滴都是我青少年时代亲历的生活场景，从不同的侧面反映了二十世纪中后期浙东农村的真实面貌，意图折射出当时农民在压抑的政治环境、僵化的计划经济体制下的生产、生活情况以及千百年传承下来的风俗习惯，让读者体会他们那种坚韧不拔、艰苦奋斗、乐观向上、勇于担当的伟大精神。书稿在微信群中陆续公开后，得到了周围人的广泛好评，点赞一片。在诸多朋友的鼓动下，我对书稿逐一进行补充、修改、整理，提交宁波出版社出版。

当然，本书的出版并不是我一人的功劳，而是凝聚着许多朋友的心血和付出。首先要感谢的是宁波大学的陈亚非老师。陈老师是宁波著名的书画家，书法、绘画造诣深厚，画风自成一体。我与他认识不久，但趣味相投。受我之邀，他欣然同意为本书绘制插画。书中意韵悠长、回味无穷的画，与文字相得益彰，为本书添彩增色。同时向为本书整理、打印付出心血的徐洋先生、石雅洁女士，以及其他为本书出版做出贡献的朋友们，一并致以深深的谢意。

本书如有谬误之处，敬请读者朋友批评指正。

作者
2017年8月